La biblioteca di Gianni Rodari

Prima pubblicazione 1964 Giulio Einaudi editore s.p.a., Torino

Per il testo © 1980 Maria Ferretti Rodari e Paola Rodari

Per le illustrazioni © Bruno Munari 1964, tutti i diritti sono riservati alla Maurizio Corraini S.r.l.

© 2011 Edizioni EL, via J. Ressel 5, 34018 - San Dorligo della Valle (Trieste)

ISBN 978-88-7926-880-6

www.edizioniel.com

Il libro degli errori, edito da Einaudi nel 1964 con le illustrazioni di Bruno Munari, costituisce, dopo *Filastrocche in cielo e in terra* (1960) e *Favole al telefono* (1962), il terzo importante appuntamento di Rodari con una vasta platea di lettori. Nel '93 è stato ripubblicato da Einaudi Ragazzi con le illustrazioni di Altan.

Gianni Rodari

Il libro degli errori

Disegni di Bruno Munari

Einaudi Ragazzi

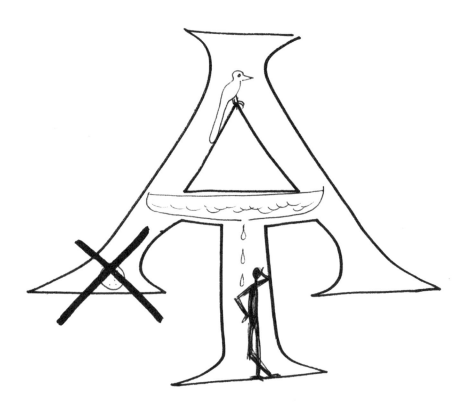

Il libro degli errori

Tra noi padri

Per molti anni mi sono occupato di errori di ortografia: prima da scolaro, poi da maestro, poi da fabbricante di giocattoli, se mi è permesso di chiamare con questo bel nome le mie precedenti raccolte di filastrocche e di favolette. Talune di quelle filastrocche, per l'appunto dedicate agli accenti sbagliati, ai «quori» malati, alle «zeta» abbandonate, sono state accolte – troppo onore! – perfino nelle grammatiche. Questo vuol dire, dopotutto, che l'idea di giocare con gli errori non era del tutto eretica.

Vale la pena che un bambino impari piangendo quello che può imparare ridendo? Se si mettessero insieme le lagrime versate nei cinque continenti per colpa dell'ortografia, si otterrebbe una cascata da sfruttare per la produzione dell'energia elettrica. Ma io trovo che sarebbe un'energia troppo costosa.

Gli errori sono necessari, utili come il pane e spesso anche belli: per esempio, la torre di Pisa.

Questo libro è pieno di errori, e non solo di ortografia. Alcuni sono visibili a occhio nudo, altri sono nascosti come indovinelli. Alcuni sono in versi, altri in prosa. Non tutti sono errori infantili, e questo risponde assolutamente al vero: il mondo sarebbe bellissimo, se ci fossero solo i bambini a sbagliare. Tra noi padri possiamo dircelo. Ma non è male che anche i ragazzi lo sappiano.

E per una volta permettete che un libro per ragazzi sia dedicato ai padri di famiglia, e anche alle madri, s'intende, e anche ai maestri di scuola: a quelli insomma che hanno la terribile responsabilità di correggere – senza sbagliare – i piú piccoli e innocui errori del nostro pianeta.

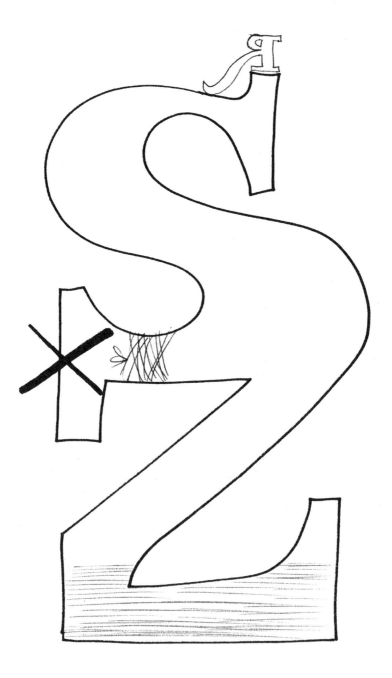

Parte prima

Errori in rosso

Per colpa di un accento

Per colpa di un accento
un tale di Santhià
credeva d'essere alla meta
ed era appena a metà.

Per analogo errore
un contadino a Rho
tentava invano di cogliere
le pere da un però.

Non parliamo del dolore
di un signore di Corfú
quando, senza piú accento,
il suo cucú non cantò piú.

Aiuto!

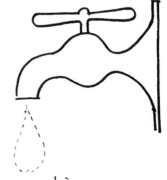

Da qualche giorno, ahinoi!, cosa succede?
Dall'acqua è scomparsa la «q».
Evaporata, si vede.
Ma intanto, con quest'*acua*, dimmi tu
che ci fai:
non ci si può navigare,
non ci si può fare il bucato,
non fa girare
le ruote dei mulini,
le pale dei battellini.
La cosa più lagrimabile
è che l'*acua* senza «q» non è potabile.
La volete saper tutta?
Si tratta di un'*acua* asciutta.
Che ne dite? Che faremo?
Di fame moriremo?
Avvisate il Comune,
il Prefetto, il Presidente...
Oppure correggete
l'errore: non ci vuol niente.

Un carattere pacifico

Giocondo Corcontento,
falegname di talento,
è un vero tesoro,
ha un carattere d'oro:
pacione
pacioccone,
gentile e cordiale
con ogni sorta di persone.
Il suo segreto? Eccolo
in una parola:
egli s'*arrabia* sempre
con una «b» sola...
Cosí nessuno si offende,
nessuno se la prende.
In grazia di un errore
di ortografia
vive con tutti in pace
e in allegria.

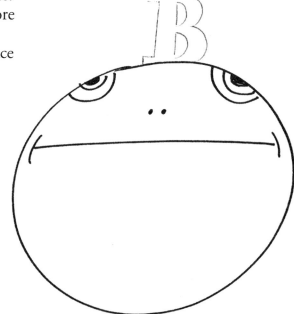

Essere e avere

Il professor Grammaticus, viaggiando in treno, ascoltava la conversazione dei suoi compagni di scompartimento. Erano operai meridionali, emigrati all'estero in cerca di lavoro: erano tornati in Italia per le elezioni, poi avevano ripreso la strada del loro esilio.

– Io *ho andato* in Germania nel 1958, – diceva uno di loro.

– Io *ho andato* prima in Belgio, nelle miniere di carbone. Ma era una vita troppo dura.

Per un poco il professor Grammaticus li stette ad ascoltare in silenzio. A guardarlo bene, però, pareva una pentola in ebollizione. Finalmente il coperchio saltò, e il professor Grammaticus esclamò, guardando severamente i suoi compagni:

– *Ho andato! Ho andato!* Ecco di nuovo il benedetto vizio di tanti italiani del Sud di usare il verbo avere al posto del verbo essere. Non vi hanno insegnato a scuola che si dice: «sono andato»?

Gli emigranti tacquero, pieni di rispetto per quel signore tanto perbene, con i capelli bianchi che gli uscivano di sotto il cappello nero.

– Il verbo andare, – continuò il professor Grammaticus, – è un verbo intransitivo, e come tale vuole l'ausiliare essere.

Gli emigranti sospirarono. Poi uno di loro tossí per farsi coraggio e disse:

– Sarà come lei dice, signore. Lei deve aver studiato molto. Io ho fatto la seconda elementare, ma già allora dovevo guardare piú alle pecore che ai libri. Il verbo andare sarà anche quella cosa che dice lei.

– Un verbo intransitivo.

– Ecco, sarà un verbo intransitivo, una cosa importantissima, non discuto. Ma a me sembra un verbo triste, molto triste. Andare a cercar lavoro in casa d'altri... Lasciare la famiglia, i bambini.

Il professor Grammaticus cominciò a balbettare.

– Certo... Veramente... Insomma, però... Comunque si dice *sono andato*, non *ho andato*. Ci vuole il verbo «essere»: io sono, tu sei, egli è...

– Eh, – disse l'emigrante, sorridendo con gentilezza, – io sono, noi siamo!... Lo sa dove siamo noi, con tutto il verbo

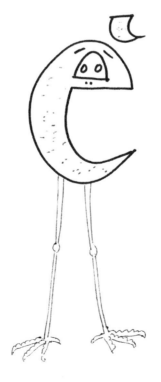

essere e con tutto il cuore? Siamo sempre al paese, anche se *abbiamo andato* in Germania e in Francia. Siamo sempre là, è là che vorremmo restare, e avere belle fabbriche per lavorare, e belle case per abitare.

E guardava il professor Grammaticus con i suoi occhi buoni e puliti. E il professor Grammaticus aveva una gran voglia di darsi dei pugni in testa. E intanto borbottava tra sé: – Stupido! Stupido che non sono altro. Vado a cercare gli errori nei verbi... Ma gli errori piú grossi sono nelle cose!

Un incidente

Al professor Grammaticus
disse una signorina:
– Ieri la nostra macchina
restò senza *bensina*.

Noi si dovette spingerla
fino in cima alla salita
e se ne andò in sudore
il gusto della gita.

Rispose il professore:
– La cosa non mi stupisce.
La *bensina* senza zeta
è cosí che vi tradisce.

Quand'anche aveste avuto
il serbatoio pieno,
poca strada facevate,
con quella zeta in meno...

La gente non riflette,
tira avanti in allegria:
ma gli errori non perdonano
e vi lasciano a mezza via.

Il biglietto perduto

Il professor Grammaticus una volta andò a Venezia, dove le strade sono d'acqua e per girarle non va bene l'automobile, ci vuole il vaporetto. I veneziani però lo chiamano il «vaporeto».

Purtroppo essi hanno l'abitudine di dimezzare le doppie. Per esempio, invece di «tutto» dicono «tuto», con una sola «t»: così non è tutto per niente, ma appena appena metà.

La sfortuna, che spesso perseguitava il professor Grammaticus, lo fece imbarcare per l'appunto su un «vaporeto» con una sola «t». Poco pratico di navigazione, egli non lo notò subito. Ma ecco che, giunto sotto il ponte di Rialto, il «vaporeto» cominciò a sbandare pericolosamente. I turisti domandavano in tutte le lingue: – Affondiamo?

Il professor Grammaticus non perdette tempo a rispondere: con la sua inseparabile matita rossa aggiunse la «t» che mancava, il vaporetto ritrovò il suo equilibrio e filò orgogliosamente in direzione di piazza San Marco.

I marinai, dopo essersi congratulati con il professore per la sua prontezza, cominciarono il giro per forare i biglietti.

Ne capitò uno anche davanti al professore, e gli chiese gentilmente: – *Bilieto?*

Grammaticus inorridí: – Bilieto? Senza «g» e con una «t» in meno? Quando imparerete, o pigri veneziani, a pronunciare completamente le belle parole della nostra lingua?

Il marinaio si arrabbiò:

– Ma lei ce l'ha o non ce l'ha il «bilieto»?

– No, che non ce l'ho. Io ho soltanto un «biglietto», completo di tutte le sue consonanti.

– Allora me lo faccia vedere.

Orrore! Il professor Grammaticus, per quanto si frugasse nelle tasche, non riuscí a trovare il suo perfettissimo «biglietto». Forse l'aveva perduto poco prima, durante il salvataggio del vaporetto. Per farla corta: gli toccò di comprarne un altro e di pagare, per giunta, una multa.

L'ortografia esatta va bene; ma i passeggeri, come si sa, hanno il dovere di conservare il biglietto. Perdere un biglietto può essere piú grave che perdere una «t».

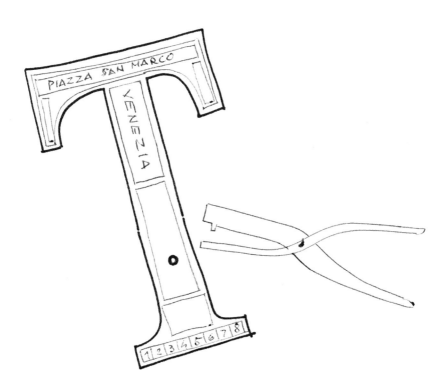

Il professore e la bomba

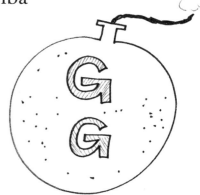

Il professor Grammaticus
sentí dire da un tale:
– Questa bomba all'*idroggeno*
chissà poi se fa male!

Il bravo professore
lo rimbeccò all'istante:
– La bomba, signore caro,
è già tanto pesante,

con tutti i suoi megatoni
è già tremenda cosí,
non aggravi il pericolo
raddoppiando la «g»!

Rispose sghignazzando
quel re degli ignoranti:
– Sono in contravvenzione
per eccesso di consonanti?

– No, signore, non scherzi
con tali materie:
l'ortografia e la chimica
sono cose assai serie.

Al vecchio gas *idrogeno*
chieda subito scusa,
cancelli dal suo nome
la lettera intrusa.

Poi con la stessa gomma,
sa che cosa faremo?
Tutte quante le bombe acca
dalla terra cancelleremo.

Domenica nei *bosci*

Scrive l'alunno Dolcetti, che con l'acca non se la dice:
«Sono andato nei *bosci*, ero tanto felice...»

Il professor Grammaticus, leggendo, ha un sospirone:
– Poveri *bosci* senz'acca... Immagino: senza un lampone,

boschi senza poesia, affollati di gitanti,
seminati di cartacce, di radioline gracidanti...

boschi della domenica, piú chiassosi del mercato
di piazza Vittorio o di piazza San Cosimato.

Eppure lo scolaretto: «ero felice», dichiara,
dimenticando anche l'acca, a me tanto cara.

Ha corso, si è arrampicato, ha mangiato sull'erba,
si è punto un braccio per cogliere una povera mora acerba.

Non guasterò la sua gioia con la matita blu.
Di boschi con l'acca, ormai, non ce ne sono piú.

L'arbitro Giustino

L'arbitro Giustino è inappellabile, come tutti gli arbitri. Anche quando sbaglia, bisogna rispettarlo e ubbidirgli prontamente.

Che tremenda responsabilità.

Oggi egli non è in buona giornata. Il suo fischietto trilla a casaccio, facendo impazzire i giocatori e la folla.

In questo momento, invece che un «calcio d'angolo», il fischietto dell'arbitro Giustino ha fischiato un «*calcio d'angelo*».

– E come facciamo a tirarlo? – domandano i nostri avversari.

– Arrangiatevi, – dice l'arbitro.

Un calciatore è costretto ad attaccarsi un paio d'ali alla maglia per calciare il pallone. Lo tocca appena col piede e il pallone vola al disopra delle tribune, si perde in cielo, bisogna metterne in campo un altro.

Il gioco riprende e per qualche minuto tutto va liscio. Poi il terribile fischietto del signor Giustino fischia un «ricore». Purtroppo, stavolta, a nostro danno.

– Vorrà dire un rigore, con la «g»? – domandano disperati i nostri giocatori.

– Quel che ho detto ho detto, – risponde Giustino. – Io sono inappellabile.

Il «ricore», con la «c», è un castigo spaventoso, perché è composto di tre calci di rigore uno dopo l'altro.

I giocatori si inginocchiano ai piedi dell'arbitro, gli baciano la giacca di seta nera, gli lucidano il fischietto.

– Per favore, ci cambi la consonante!

Il pubblico grida: – Venduto! Prenditi la tua «c» e vattene.

Il pubblico, si sa, non ragiona. Allo stadio non ci va per ragionare ma per gridare. Ma l'arbitro non si tocca. La folla piange in coro, e le lagrime scendono a ruscelli dalle gradinate, allagano il campo...

Non c'è niente da fare. Il «ricore» ci costa tre gol. Addio partita, addio scudetto. Certi errori si pagano cari, specialmente se sono errori altrui.

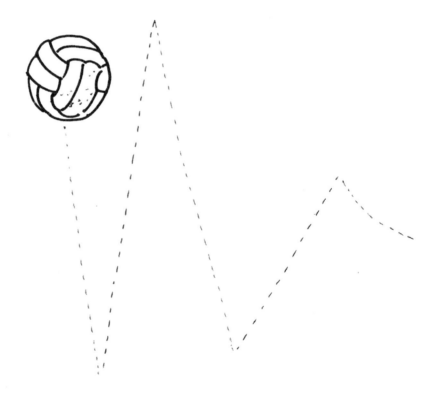

Il povero *ane*

Se andrete a Firenze
vedrete certamente
quel povero *ane*
di cui parla la gente.

È un cane senza testa,
povera bestia.
Davvero non si sa
ad abbaiare come fa.

La testa, si dice,
gliel'hanno mangiata...
(La «c» per i fiorentini
è pietanza prelibata.)

Ma lui non si lamenta,
è un caro cucciolone,
scodinzola e fa festa
a tutte le persone.

Come mangia? Signori
non stiamo ad indagare:
ci sono tante maniere
di tirare a campare.

Vivere senza testa
non è il peggio dei guai:
tanta gente ce l'ha
ma non l'adopera mai.

Canzoni per sbaglio

Signore e signori,
mettete un gettone
se volete ascoltare
qualche bella canzone.

Ne so una che parla
di un *quore* malato:
era un *quore* con la «q»
ma adesso l'hanno operato.

Ne so un'altra di un *siniore*
pieno di soldi fin qui:
ma non è un vero signore
perché gli manca la «g».

So quella di un negozio
in via del Dentifricio
che vende per errore
«*nobili* per ufficio»;

il conte tavolino,
la duchessa scrivania,
il principe scaffale,
utile in libreria.

Insomma ne so un sacco
e via di questo passo.
Mettete un gettone,
sentirete che chiasso.

Chi vuole dormire
cerchi un altro suonatore:
a me la gente piace
sveglia e di buon umore.

Ladro di «erre»

C'è, c'è chi dà la colpa
alle piene di primavera,
al peso di un grassone
che viaggiava in autocorriera:

io non mi meraviglio
che il ponte sia crollato,
perché l'avevano fatto
di cemento «amato».

Invece doveva essere
«armato», s'intende,
ma la *erre* c'è sempre
qualcuno che se la prende.

Il cemento senza *erre*
(oppure con l'*erre* moscia)
fa il pilone deboluccio
e l'arcata troppo floscia.

In conclusione, il ponte
è colato a picco,
e il ladro di «erre»
è diventato ricco:

passeggia per la città,
va al mare d'estate,
e in tasca gli tintinnano
le «erre» rubate.

Il cielo è maturo

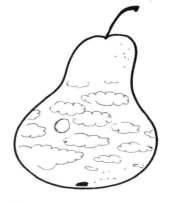

Ragazzi, amate gli aggettivi qualificativi. Non comportatevi come Marco e Mirco, i gemelli terribili, che si fanno beffe di loro.

Ieri, per esempio, essi dovevano assegnare un aggettivo qualificativo a ciascun nome di un lungo elenco.

Sghignazzando e buttandosi l'inchiostro in faccia, i monellacci hanno cominciato a scrivere:

– *Il grano è azzurro*
– *La neve è verde*
– *L'erba è bianca*
– *Il lupo è dolce*
– *Lo zucchero è feroce*
– *Il cielo è maturo.*

A questo punto si è sentito un rumore spaventoso: – *Bum! Bang! Squash! Splash! Skrankkkkk!*

Che cos'è accaduto? Semplicemente questo: il cielo, sentendo dire che era maturo, si è creduto in dovere di cadere a terra, come una qualunque pera o susina.

La casa è crollata in una nuvola di polvere.

Quanta fatica hanno dovuto fare i pompieri per disseppellire i due gemelli, ricucirli perché erano ridotti in pezzettini e rimettere il cielo al suo posto, abbastanza in alto perché ci possano volare le rondini e gli aeroplani.

Un oratore

Una piccola folla si radunava nella piccola piazza.

– Che cosa vendono? – domandò il professor Grammaticus.

– Niente, – gli rispose un tipaccio. – C'è il *comissio*!

– Comissio? Con due *esse*? Ma allora sarà un discorso tutto sbagliato... Chi deve parlare?

– Il tale.

– Ah, mi pareva! Un fascista! Allora tutto è chiaro.

E il professor Grammaticus si allontanò, scuotendo la polvere dai suoi pantaloni.

La voce della «coscenza»

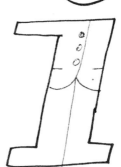

Conosco un signore
di Monza o di Cosenza
che si vanta di dar retta
alla «voce della coscenza».

Il guaio, con questo signore
di Busto o di Forlí,
è che alla sua «coscenza»
manca una piccola «i».

Se lui ruba, lei lo loda.
Se lui fa il prepotente
lei gli manda un telegramma:
– Mi congratulo vivamente.

Lui infila piú bugie
che aghi su un pino?
Lei subito applaude:
– Bravo, prendi un bacino.

E dovreste sentire
quel tale cosa dice:
– Sono in pace con la coscenza,
perciò sono felice!

Ho provato ad avvertirlo,
insomma a fargli capire
che una «coscenza» simile
è inutile starla a sentire.

Lui però mi ha risposto:
– Andiamo! Per una «i»! –
quel bravo signore
di Bari o di Mondoví.

Il diavolo

Marco e Mirco non hanno alcun rispetto per i verbi, nemmeno per i piú vecchi, quelli con i capelli bianchi che camminano col bastone.

I due insolenti monelli ieri dovevano coniugare, per compito, certi verbi, formando con essi delle frasi, ovvero pensierini.

Graziosi pensierini davvero!

Ecco un esempio dei loro esercizi:

> *«Io mangio il gelato,*
> *tu bevi l'aranciata,*
> *egli paga il conto*
> *perché è il piú tonto».*

Insistendo nella loro bravata, essi hanno scritto poi:

> *«Io vado a Torino,*
> *tu vai a Torino,*
> *egli va a Torino,*
> *noi andiamo a Torino*
> *voi andate al diavolo*
> *e starete al caldino».*

Il diavolo, a questo punto, si è sentito fischiare le orecchie. C'è stato un botto, un gran puzzo di zolfo, e il diavolo era lí sulla poltrona, e agitava la forca gridando:

– Dove sono quelli che devono andare al diavolo?

Marco, per la paura, stava già per svenire. Mirco, piú pronto a dire bugie, è corso alla finestra e, indicando un punto impreciso verso la piazza, ha esclamato:

– Là, guardi, Eccellenza, sono scappati da quella parte!

Per fortuna il diavolo c'è cascato e si è precipitato in piazza, dove voleva per forza portar via il farmacista, dottor Panelli, che stava sulla soglia del suo negozio a prendere il fresco. La signora Panelli però ha salvato il marito, mostrando al diavolo una raccomandazione firmata da un pezzo grosso.

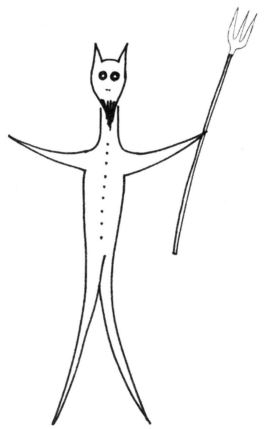

Tanto dolore per nulla

Un bravo signore di Cesena o di Gallarate sognò per molti anni di ottenere qualche onorificenza. Finalmente, per mezzo di potenti raccomandazioni, riuscí a farsi insignire del titolo di «cavaliere».

Ma figuratevi la sua delusione e il suo dolore quando gli arrivò il titolo e scoprí che lo avevano fatto... *«cavagliere»*, con la «g».

– Che me ne faccio, di un titolo sbagliato? – egli si lamentava con la famiglia. – La gente riderà di me.

La gente aveva altro da pensare. Ma quel bravo signore di Avellino o di Montepulciano non ebbe pace fin che non ebbe confidato le sue pene al potente personaggio che lo aveva raccomandato.

– Provvederemo subito, – lo consolò il personaggio. –Ti farò nominare commendatore.

La notizia si riseppe. Tutti correvano a fare le congratulazioni al titolato.

Il titolo arrivò in pacchetto sigillato con la ceralacca.

Il bravo signore di Luino aprí il pacchetto con mani trementi e... cadde al suolo svenuto.

Poveraccio! Lo avevano fatto *«comendatore»* con una «emme» sola.

La moglie, dopo avergli buttato quasi un secchio d'acqua in faccia per farlo rinvenire, gli disse:

– Non te la prendere. Io avevo uno zio che era *«colonelo»*

39

con una sola «enne» e una sola «elle», ma nessuno se n'è mai accorto, e i soldati gli ubbidivano lo stesso.

Il «comendatore», però, non si consolò. Gli vennero tutti i capelli grigi e gli cadde un dente molare. Certa gente, davvero, soffre e si dispera per cose che non ne valgono la pena.

Il Ghiro d'Italia

Cosa state sulla strada come allocchi ad aspettare?
Il «Ghiro d'Italia» non lo vedrete passare!

Il ghiro, miei cari, è una bestia senza fretta:
non va nemmeno in triciclo, figuriamoci in bicicletta.

Il ghiro dorme e russa nella tana ben celata:
non gli passa per la testa di «disputare la volata».

A suo modo, del resto, è un animale giocondo:
sovente l'ho veduto ballare il *ghirotondo*...

Ghiro, ghirotondo,
se non ridete scappo
a fare il... *ghiro* del mondo.

La riforma della grammatica

Il professor Grammaticus, un giorno, decise di riformare la grammatica.

– Basta, – egli diceva, – con tutte queste complicazioni. Per esempio, gli aggettivi, che bisogno c'è di distinguerli in tante categorie? Facciamo due categorie sole: gli *aggettivi simpatici* e gli *aggettivi antipatici*. *Aggettivi simpatici*: buono, allegro, generoso, sincero, coraggioso. *Aggettivi antipatici*: avaro, prepotente, bugiardo, sleale, e via discorrendo. Non vi sembra più giusto?

La domestica che era stata ad ascoltarlo rispose: – Giustissimo.

– Prendiamo i verbi, – continuò il professor Grammaticus. – Secondo me essi non si dividono affatto in tre coniugazioni, ma soltanto in due. Ci sono i *verbi da coniugare* e quelli *da lasciar stare*, come per esempio: mentire, rubare, ammazzare, arricchirsi alle spalle del prossimo. Ho ragione sí o no?

– Parole d'oro, – disse la domestica.

E se tutti fossero stati del parere di quella buona donna la riforma si sarebbe potuta fare in dieci minuti.

L'Acca in fuga

C'era una volta un'Acca.

Era una povera Acca da poco: valeva un'acca, e lo sapeva. Perciò non montava in superbia, restava al suo posto e sopportava con pazienza le beffe delle sue compagne. Esse le dicevano:

– E cosí, saresti anche tu una lettera dell'alfabeto? Con quella faccia?

– Lo sai o non lo sai che nessuno ti pronuncia?

Lo sapeva, lo sapeva. Ma sapeva anche che all'estero ci sono paesi, e lingue, in cui l'acca ci fa la sua figura.

«Voglio andare in Germania, – pensava l'Acca, quand'era piú triste del solito. – Mi hanno detto che lassú le Acca sono importantissime».

Un giorno la fecero proprio arrabbiare. E lei, senza dire né uno né due, mise le sue poche robe in un fagotto e si mise in viaggio con l'autostop.

Apriti cielo! Quel che successe da un momento all'altro, a causa di quella fuga, non si può nemmeno descrivere.

Le chiese, rimaste senz'acca, crollarono come sotto i bombardamenti. I chioschi, diventati di colpo troppo leggeri, volarono per aria seminando giornali, birre, aranciate e granatine in ghiaccio un po' dappertutto.

In compenso, dal cielo caddero giú i cherubini: levargli l'acca, era stato come levargli le ali.

Le chiavi non aprivano piú, e chi era rimasto fuori casa dovette rassegnarsi a dormire all'aperto.

Le chitarre perdettero tutte le corde e suonavano meno delle casseruole.

Non vi dico il Chianti, senz'acca, che sapore disgustoso. Del resto era impossibile berlo, perché i bicchieri, diventati «biccieri», schiattavano in mille pezzi.

Mio zio stava piantando un chiodo nel muro, quando le Acca sparirono: il «ciodo» si squagliò sotto il martello peggio che se fosse stato di burro.

La mattina dopo, dalle Alpi al Mar Jonio, non un solo gallo riuscí a fare chicchirichí: facevano tutti *ciccirí*, e pareva che starnutissero. Si temette un'epidemia.

Cominciò una gran caccia all'uomo, anzi scusate, all'Acca. I posti di frontiera furono avvertiti di raddoppiare la vigilanza. L'Acca fu scoperta nelle vicinanze del Brennero, mentre tentava di entrare clandestinamente in Austria, perché non aveva passaporto. Ma dovettero pregarla in ginocchio: – Resti con noi, non ci faccia questo torto! Senza di lei, non riusciremmo a pronunciare bene nemmeno il nome di Dante Alighieri. Guardi, qui c'è una petizione degli abitanti di Chiavari, che le offrono una villa al mare. E questa è una lettera del capo-stazione di Chiusi-Chianciano, che senza di lei diventerebbe il capo-stazione di Ciusi-Cianciano: sarebbe una degradazione.

L'Acca era di buon cuore, ve l'ho già detto. È rimasta, con gran sollievo del verbo chiacchierare e del pronome chicchessia. Ma bisogna trattarla con rispetto, altrimenti ci pianterà in asso un'altra volta.

Per me che sono miope, sarebbe gravissimo: con gli «occiali» senz'acca non ci vedo da qui a lí.

Dick Fapresto

Il professor Grammaticus, abbandonando le sue meditazioni sull'uso dell'apostrofo, seguí il richiamo del campanello e si recò ad aprire la porta.

– Permette? Dick Fapresto, poliziotto privato. Massima discrezione. Dovrei rivolgerle qualche domanda a proposito del furto avvenuto nell'appartamento di sotto.

– Ma c'è già stato il commissario, – protestò il professore.

– Permette? La signora Grossi non è contenta del lavoro della polizia e mi ha incaricato di svolgere ulteriori «indaggini».

Un lampo, a quella parola, illuminò lo sguardo del professor Grammaticus, ma Dick Fapresto non se ne accorse nemmeno: era troppo occupato a guardare nel calamaio.

– È difficile, – osservò il professore, – che un cane rubato possa venir nascosto in un calamaio.

– Permette? – disse Dick Fapresto. – Posso dare un'occhiata alla sua caffettiera?

– Se vuole, può guardare in tutte le chicchere. Pensa che io abbia rubato il cane della signora Grossi per usarlo al posto dello zucchero?

– Ho il mio sistema. E adesso, per favore, mi vuol dire quanti anni ha?

– No, – disse il professor Grammaticus.

– Peccato. È il solo elemento che mi manca per risolvere il mistero. La sua età, secondo i miei calcoli, dovrebbe corrispondere al numero dell'abitazione del ladro.

– In quale via?

– Questo me lo dirà il ladro stesso, quando lo avrò catturato e costretto a confessare.

– E queste sarebbero le sue «indaggini», immagino.

– Permette? Ho il mio metodo.

– Insensato, – sbottò finalmente il professor Grammaticus. – Non capisce che fin che farà «indaggini» con due «g» concluderà soltanto «stupidaggini»? Provi a levare una «g», e forse andrà meglio.

Dick Fapresto si abbandonò su una sedia e scoppiò in singhiozzi.

– Lei ha scoperto il mio punto debole. Sono anni che mi affanno per risolvere qualche caso importante. Ma come fa Perry Mason? Come fa? Alla televisione tutto sembrava cosí facile.

Il professore, per consolarlo, gli offrí una copia della grammatica italiana. Dick Fapresto la baciò e corse via gridando: – A me i ladri! A me gli assassini!

Il professore si contentò di scuotere la testa e di richiudere la porta.

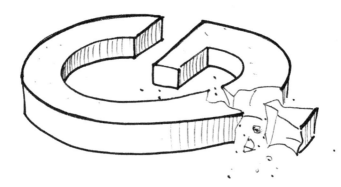

Il grande inventore

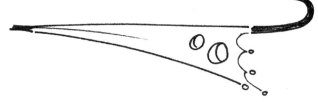

Una volta c'era un giovane che sognava di diventare un grande inventore. Studiava giorno e notte, studiò diversi anni, e finalmente si disse:

– Ora ho studiato abbastanza. Ora sono uno *siensiato*, e mostrerò tutto il mio valore.

Cominciò subito a fare esperimenti e riuscí a inventare i buchi del formaggio. Ma poi seppe che erano già stati inventati.

Ricominciò tutto da capo. Studiava sera e mattina, studiò molti mesi, e finalmente si disse:

– Basta cosí. Ora sono veramente uno *scensiato*. Si vedrà quel che so fare.

Difatti si vide: inventò i buchi nell'ombrello, e fece ridere tutti quanti.

Ma lui non si perdette di coraggio per questo, si riattaccò ai libri, rifece esperimenti su esperimenti e finalmente si disse:

– Be', ora sono sicuro di non sbagliarmi. Ora sono uno *sciensiato* sul serio.

Ma invece era ancora uno *sciensiato* con un piccolo errore. Inventò una nave che viaggiava a pastelli, costava troppo e colorava tutto il mare.

– Non mi arrenderò per questo, – disse il bravo giovane, che intanto cominciava a mettere i capelli grigi.

Studiò, studiò e studiò tanto che diventò uno *scienziato*, con tutte le consonanti e le vocali a posto, e allora poté inventare tutto quello che volle. Inventò una macchina per andare sulla Luna, un treno che consumava appena un granello di riso ogni mille chilometri, le scarpe che non invecchiano mai, e tante altre cose.

Però il sistema di diventare *scienziati* senza fare errori non riuscí a inventarlo nemmeno lui, e forse non lo inventerà mai nessuno.

L'insalata sbagliata

Il professor Grammaticus
entrò nel ristorante
e ordinò al cameriere
un'insalata abbondante:

– Metteteci l'indivia,
la lattuga, la riccetta,
il sedano, la cicoria,
due foglie di rughetta,

un mezzo pomodoro,
cipolla se ce n'è:
portate l'olio e il sale,
la condirò da me.

E il bravo professore,
con la forchetta in mano,
si accingeva a gustare
il pranzo vegetariano.

Ma tutta la sua delizia
fin dal primo boccone
si mutò in una smorfia
di disperazione.

Guardò meglio nell'ampolla
dell'olio e inorridí:
gli avevano servito
un «OGLIO» con la «g»!

Offeso e disgustato
fuggí dalla trattoria:
sono un pessimo condimento
gli errori d'ortografia.

Il professor Grammaticus

Il professor Grammaticus,
tra Como e Battipaglia,
udí gridare a gran voce:
I-ta-glia! I-ta-glia! I-ta-glia!

  Alcuni sventatelli
  apparsi in fondo alla via
  in coro scandivano
  quell'errore di ortografia.

Disse il bravo docente:
– Signori, non cosí!
Non lordate la Patria
con quella brutta «g»!

  Al fardello dei mali
  che affliggono il paese
  non aggiungete, prego,
  ortografiche offese...

Il professor Grammaticus
fu tosto circondato,
di ben altre scorrettezze
e di pugni minacciato.

Ma dai dintorni accorse
una folla di persone
amanti della grammatica
e della buona educazione.

Cacciarono i giovinastri
e gridarono cosí:
– Viva il nostro professore
e l'*Italia* senza «g»!

La macchina ammazzaerrori

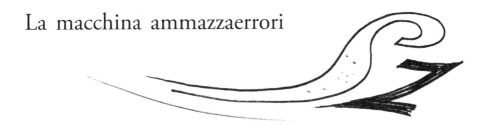

Una volta il professor Grammaticus inventò la macchina ammazzaerrori.

– Girerò l'Italia, – egli annunciò alla sua fida domestica, – e farò piazza pulita di tutti gli errori di pronuncia, di ortografia e simili.

– Con quella roba lí?

– Non è una roba, è una macchina. Funziona come un aspirapolvere, aspira tutti gli errori che circolano nell'aria. Batterò regione per regione, provincia per provincia. Ne parleranno i giornali, vedrai.

– Oh, basta là, – commentò la domestica. E per prudenza non aggiunse altro.

– Comincerò da Milano.

A Milano il professore andò a sedersi a un tavolino di caffè, in Galleria, mise in funzione la macchina e attese. Non ebbe molto da attendere. Ordinò un tè al cameriere, e il cameriere, milanese puro sangue, gli domandò con un inchino:

– Ci vuole il limone o una *sprussatina* di latte?

Le due esse erano appena uscite al posto delle due zeta dalla sua bocca lombarda, poco amica dell'ultima consonante dell'alfabeto, che la macchina ammazzaerrori indirizzò energicamente il suo tubo aspirante in faccia al cameriere.

– Ma cosa fa? A momenti mi portava via il naso con quella roba lí.

– Non è una roba, – precisò il professor Grammaticus, – è una macchina. Sono ancora poco pratico nell'usarla.

– E allora, perché la fa *funsionare?*

Splaff! Il tubo aspirante guizzò in direzione della nuova «esse» e colpí il cameriere all'orecchio destro.

– Ohei! Ma lei mi vuole proprio *ammassare!*

Sploff! Nuova sberla volante, questa volta sull'orecchio sinistro.

Il cameriere cominciò a gridare: – Aiuto, aiuto! C'è un *passo!*

Voleva dire un pazzo, naturalmente, ma la macchina non gli perdonò. *Spliff!* Intanto una folla di curiosi, in parte milanesi in parte no, si era radunata per assistere al bizzarro duello tra un cameriere e un aspirapolvere.

Il professor Grammaticus, dopo infiniti sforzi e sospiri, riuscí a schiacciare il tasto giusto e a far star cheta la sua macchina.

– Ce l'ha la *licensa?*

Cielo, un vigile urbano.

– Licenza! Licenza, con la zeta, – gridò Grammaticus.

– Con la *seta* o *sensa*, ce l'ha la *licensa?* Si può mica andare in giro a vendere elettrodomestici senza *autorissasione.*

Quella nuova pioggia di «esse» tolse addirittura il fiato al professore. Di azionare la macchina, però, non se la sentiva. Gli convenne seguire il vigile al comando, pagare una multa, pagare la tassa per la licenza e ascoltare un discorsetto sull'onestà in commercio. Finalmente poté correre alla stazione dove prese un direttissimo. La sera sbarcò a Bologna, deciso a fare un'altra prova.

Si cercò un albergo, si fece assegnare una stanza e stava già per andare a dormire quando il portiere dell'albergo lo richiamò.

– Mi scusi bene, sa, mi deve *lassiare* un documento.

Squash! La macchina ammazzaerrori scattò.

– Ben, ma cosa le salta in mente?

– Abbia pazienza, non l'ho fatto apposta. Lei però è proprio un bolognese...

– E cosa vuole trovare a Bologna, i caracalpacchi?

– Voglio dire: perché non pronuncia «lasciare» come va pronunciato?

– Senta, signore, non stiamo a far *ssene...*

Skroonk! Il tubo aspiratore era balzato attraverso l'atrio e aveva colpito alla spalla il portiere petroniano.

Il professor Grammaticus corse a barricarsi in camera, ma il portiere lo seguí, cominciò a tempestare di pugni la porta chiusa a chiave e gridava:

– Apra quell'*ussio*, apra quell'*ussio!*

Sprook! Spreeek! Anche il tubo aspiraerrori, dal di dentro, batteva contro la porta, nel vano tentativo di raggiungere l'errore di pronuncia tipico dei vecchi bolognesi.

– Apra quell'*ussio*, o chiamo le guardie.

Squak! Squok! Squeeeek!

Batti di fuori, batti di dentro, la porta andò in mille pezzi.

Il professor Grammaticus pagò la porta, tacitò il portiere con una ricca mancia, chiamò un taxi e si fece riportare alla stazione.

Dormí qualche ora sul treno per Roma, dove giunse all'alba.

– Mi sa indicare dove posso prendere il filobus numero 75?

– Proprio davanti alla *stazzione*, – rispose il facchino interpellato.

(Dovete sapere che, se i milanesi danno scarsa importanza alla zeta, i romani gliene danno troppa. Tutte le zeta ripudiate a Milano si radunano a Roma, e fanno gazzarra.)

Il professore schiacciò il tasto con il mignolo, sperando finalmente di ottenere un buon risultato. Le altre volte lo aveva schiacciato con il pollice. Ma la macchina, si vede, non faceva differenza tra le dita. Un colpo bene (o male) assestato fece volar via il berretto del facchino.

– Aho! E ched'è, un attentato?

– Ora le spiego...

– No, no, te la spiego io la *situazzione*, – fece il facchino, minaccioso.

Questa volta il tubo colpí la vetrina del giornalaio, perché il facchino aveva abbassato prontamente la testa.

Si udí una grandinata di vetri rotti. Uscí il giornalaio gridando: – Chi è che fa 'sta *rivoluzzione?*

La macchina lo mise K.O. con un *uppercut* al mento.

Accorsero gli agenti. Il resto si può leggere nel verbale della Pubblica Sicurezza.

Alle tredici e quaranta il professor Grammaticus riprendeva tristemente il treno per il Nord.

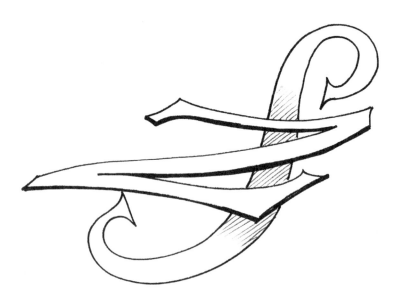

La macchina? Eh, la macchina aveva tentato di mettere zizzania anche tra le forze dell'ordine: c'erano in questura, tra gli agenti, torinesi, siciliani, napoletani, genovesi, veneti, toscani. Ogni regione d'Italia era rappresentata. Rappresentata anche, s'intende, da tutti i difetti di pronuncia possibili e immaginabili. La macchina era scatenata, impazzita. Fu ridotta al silenzio a martellate, non ne rimase un pezzetto sano.

Il professore, del resto, aveva capito che la macchina esagerava: invece di ammazzare gli errori rischiava di ammazzare le persone. Eh, se si dovesse tagliar la testa a tutti quelli che sbagliano, si vedrebbero in giro soltanto colli!

Il matto

Marco e Mirco, i gemelli terribili, non hanno il minimo rispetto per i nomi alterati.

Ieri, per compito, essi dovevano trovare per l'appunto certi accrescitivi, diminutivi, vezzeggiativi eccetera.

– *Come chiamereste con una parola sola un cane molto grosso?* – domandava gentilmente la grammatica.

– Un cannone! – ha risposto Marco.

E Mirco ha fatto eco: – Bum!

– *Un monte assai alto?*

– Un montone.

– *Un tacco piccolo e sottile?*

– Un tacchino. Glú, glú, glú!

– *Una torre robusta e imponente?*

– Un torrone.

Cosí sono andati avanti per un pezzo, facendo scempio dei poveri nomi. Una brutta foca, per colpa loro, è diventata una focaccia pronta per essere mangiata. Un baro è stato nominato barone.

– *Un tipo matto e grande, grosso e sempre allegro?* – domandava con pazienza la grammatica.

– Un mattone! – hanno risposto a una voce i due gemelli.

Ma scherzare con i matti è pericoloso. A questo punto, infatti, si è affacciato nella stanza, dalla finestra aperta, un matto armato di un mattone, e senza dire né uno né due lo ha tirato in testa a Marco. Poi ha scavalcato la finestra, è entrato, ha raccolto il mattone, è uscito, si è affacciato di nuovo e ha tirato il mattone in testa a Mirco. Poi è entrato di nuovo, ha raccolto il mattone, lo ha fatto a pezzettini e lo ha mangiato.

Si domanda: quanto ha speso in cerotti la mamma per medicare Marco e Mirco?

Comunicato straordinario

Signore e signori
sospendiamo la trasmissione
per leggervi un messaggio
che farà sensazione:

il pianeta Mercurio
sta cascando giú,
qualcuno l'ha colpito
con un missile «q».

Merqurio (cosí adesso
è ridotto lo sventurato)
è uscito dalla sua orbita,
dal sole s'è allontanato,

sta mettendo in pericolo,
l'equilibrio interplanetario:
Saturno ha perso l'anello,
la Luna non spunta in orario.

Si ricerca d'urgenza
un esperto d'ortografia
per poter ristabilire
le leggi dell'astronomia.

Italia piccola

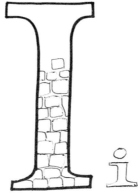

Una sera il professor Grammaticus correggeva i compiti dei suoi scolari. La domestica gli stava vicino e lavorava ininterrottamente a far la punta alle matite rosse, perché il professore ne consumava moltissime.

A un certo punto Grammaticus dette un grido altissimo e balzò in piedi con le mani nei capelli gridando:

– Bollati! Bollati!

– Che cosa ha fatto ancora il signorino Bollati? – domandò la domestica. Essa ormai conosceva tutti gli allievi per nome e cognome, sapeva quali fossero gli errori preferiti di ciascuno, e non ignorava che gli errori di Bollati erano sempre terribili.

– Ha scritto «italia» con la lettera minuscola. Ah! Ma questa volta lo denuncio ai carabinieri. Posso perdonare tutto a tutti, ma non una simile mancanza di rispetto per il proprio paese.

– Già, – disse la domestica con un sospiro.

– Che cosa vorresti insinuare con quel «già»?

– Signor professore, una povera domestica come me, cosa vuole che sappia insinuare. È già tanto se so temperare le matite.

– Però hai sospirato.

– Da un certo punto di vista sí. A guardar bene...

– Sicuro! – urlò il professore. – Ora starò qui a guardare questa minuscola, e a forza di guardarla diventerà maiuscola da sola. Dammi quella matita, ci voglio fare tre fregacci rossi di quelli storici.

– Dicevo, – riprese con pazienza la domestica, – che forse il signorino Bollati ha voluto alludere...

– Sentiamo, sentiamo. Siamo alle allusioni, adesso. Presto saremo alle lettere anonime.

A questo punto la domestica, che aveva il suo orgoglio, si alzò, si scosse dal grembiale i truciolini della matita e disse:

– Lei non ha bisogno del mio parere. Buonasera.

– No, aspetta, parla. Sono tutt'orecchi. Ma parla, di' chiaramente il tuo pensiero.

– Insomma, non si offenda. Forse che non c'è un'Italia piccola, minore, dimenticata da tutti? Certi paesini dove non c'è il dottore, non arriva il telefono... Certe stradine dove possono passare solamente i muli... Certe povere case dove bambini, galline e porcellini dormono tutti insieme per terra...

– Ma che cosa vai dicendo?

– Mi lasci finire. Io dico che c'è, quest'Italia minuscola: quella dei vecchi a cui nessuno pensa, dei ragazzi che vorrebbero studiare ma non possono, dei villaggi dove sono rimaste solo le donne perché gli uomini sono emigrati tutti...

Il professore, stavolta, ascoltava in silenzio.

– Ecco, forse il signorino Bollati pensava a queste cose, a questa gente, e non se l'è sentita di dare la maiuscola a...

– Ma è proprio questo l'errore! – sbottò Grammaticus. – C'è, c'è ancora questa italia piccola, ma io trovo che sarebbe ora finalmente di dare la maiuscola anche a lei.

La domestica sorrise:

– E allora faccia cosí: ci metta la maiuscola. Ma non ci faccia i tre fregacci. Apprezzi le buone intenzioni del signorino Bollati.

– Chissà poi se le aveva, queste buone intenzioni...

La domestica tornò a sedersi, sorridendo. Era sicura ormai di aver salvato un bravo ragazzo da un brutto voto e, chissà, dagli scapaccioni di un babbo nervoso. E riprese tranquillamente a far la punta alle matite.

Il museo degli errori

Signori e signore,
venite a visitare
il museo degli errori,
delle perle piú rare.

Osservate da questa parte
lo strano animale *gato*:
ha tre zampe, un solo baffo
e dai topi viene cacciato.

Nel secondo reparto
c'è l'*ago* Maggiore:
provate a fare un tuffo,
sentirete che bruciore.

Ora tenete il fiato:
l'eterna «roma» vedremo
tornata piccola piccola
come ai tempi di Romolo e Remo.

Per colpa di una minuscola
la storia gira all'indietro:
questa «roma» ci sta tutta
sotto la cupola di San Pietro.

In Sardegna

Il professor Grammaticus, mentre attraversava la Sardegna a cavallo, udí gridare: – Aiuto! Aiuto!

Si guardò intorno. La zona era solitaria e desertica. Non una casa in vista, ma solo le pietre minacciose di un nuraghe. A mezza collina un gregge pascolava tranquillamente. Cosí almeno pareva.

Il grido, però, era venuto di lassú. Forse il pastore si trovava in difficoltà? Il professor Grammaticus non stette a baloccarsi con i punti interrogativi: spronò il cavallo e partí al galoppo nella direzione voluta dal suo coraggio. Ed ecco che, come per confermarlo nella giustezza della sua supposizione, da quella direzione venne nuovamente il grido: – *Aiutto! Aiutto! Le péccore! Le péccore!*

– È certamente il pastore che chiama, – si disse, ballando sulla sella, l'animoso professore. – Egli non meriterebbe che io andassi in suo soccorso, però. Perché ficca tutte quelle doppie dove non ci vorrebbero? *«Aiutto»*, *«péccore».* Dal punto di vista delle doppie i sardi (senza offesa) sono l'opposto dei veneziani: a Venezia le doppie le mangiano tutte, qui raddoppiano senza discernimento qualsiasi consonante. Non mi meraviglierei che i guai del pastore nascessero per l'appunto da questo tragico errore.

Giunto sul posto, il professore poté constatare che il suo ragionamento era veramente fondato su un errore. Cioè, era giusto proprio perché c'era un errore.

Le «péccore» avevano circondato il pastore, lo avevano

costretto a mettersi a quattro zampe e con robusti spintoni, aizzate dal montone che agitava il campano, gli schiacciavano la faccia a terra. Il povero pastore, signori miei, «brucava l'erba». La sua bocca era impiastricciata di verde, e nei suoi occhi scuri si leggeva chiaramente il disgusto con cui trangugiava quell'insalata senz'olio né sale.

– *Aiutto!* – mormorò il pastore con un fil di voce, quando vide il suo soccorritore. – Le *péccore* si sono *rivoltatte* e...

– L'unione fa la forza, – sentenziò il professor Grammaticus. – Ma il cane che fa? L'amico dell'uomo non vi ha difeso?

– *Guardattelo!*

Il cane, poveretto, era stato legato a un albero, e assisteva impotente al supplizio del suo amico.

Grammaticus smontò da cavallo e, servendosi soltanto della sua matita, cancellò la «c» di troppo, disperse le pecore, sciolse il cane e liberò il pastore, che subito sorse in piedi e gli offrí in segno di riconoscenza un delizioso formaggio pecorino.

– Con gli animali bisogna stare attenti, – disse il professor Grammaticus, riponendo il formaggio nella tasca della sella. – Essi non conoscono la loro forza, perciò ci obbediscono. Le pecore, poi, basta un bambino a farle rigar dritte,

fossero pure mille o duemila. Ma se voi le chiamate «péc-core» esse drizzano le orecchie e cominciano a montarsi la testa pensando: «Dunque noi siamo qualcuno»!

Il professore tacque, pensoso. Gli era venuto un dubbio. Ma subito lo cacciò e concluse: – Eh, se bastasse chiamare «péccore», con due «c», certi uomini che non conoscono la loro forza, per convincerli ad alzare la testa!

Questo, però, non lo diceva per il pastore sardo che, ritto in piedi, serio e attento, era la statua della fierezza e della gentilezza.

Il serpente *bidone*

Zoologia, capitolo rettili:
il serpente *bidone*...
Alt. Fermiamoci qui.
Consideriamo attentamente
questo serpente-truffa,
questa buffa creatura
che non farebbe paura
a un cardellino.
Vi pare il caso
di lasciarlo vagare
nella giungla misteriosa
tra il cobra, il boa,
la tigre sanguinosa
e altra gente cosí?
O mettetegli il coperchio,
o ridategli presto
la sua «p» e la sua «t».

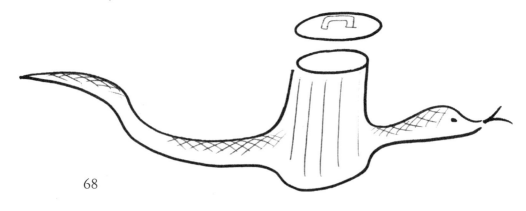

Il professor Sospeso

. . . . , . ' . ' ' . . . .

E questa è la canzone
del professor Sospeso,
un signore assai mite,
brav'uomo, beninteso,

    la perla dei professori,
    ma un tantino tentennone:
    parla (e scrive) con troppi
    puntini di sospensione.

Dice: – *Però... Secondo...*
non saprei... mi figuro...
già, però... poi dipende...
può darsi che in futuro...

    Milioni di puntolini
    gli escono dal cervello
    e formano una nebbia
    da tagliare col coltello.

Il professor scompare.
Come fu? Dove andò?
Si è nascosto dietro i puntini
per non dire «sí» o «no».

Lo cercano, lo chiamano,
gli fanno coraggio,
chi gli offre un gelato,
chi gli offre un passaggio.

Ma il professor Sospeso
per non dire «no» o «sí»
continua a far finta
di non essere lí.

Dal treno

Un giorno dal treno
in corsa lungo l'Adriatico
(ma forse era il Tirreno)
ho visto un paesino
tutto nuovo e carino,
con le case ben pitturate,
le antenne della televisione
nell'azzurro ricamate...

Un po' in disparte,
come il canile di fianco
alla casa del padrone,
c'era una catapecchia
che forse era già vecchia
ai tempi di Nerone.

Era la casa più brutta del paese,
pareva una casa morta,
ma c'era scritto «Scuola»
proprio sopra la porta.

Io, sulle prime, per la fretta ho letto
«squola», con la «q»,
poi mi sono corretto...
Ma adesso mi domando
se valeva la pena,

se bastava la correzione
a fare di quel tugurio
la casa dove i bambini
diventano uomini, se sanno,
un poco ogni anno.

La strada sbagliata

Il professor Grammaticus, nel rincasare, sbagliò strada. Venne perciò a trovarsi in una strada sbagliata. Difatti, dopo pochi passi, notò l'insegna di un negozio su cui si leggeva:

CUGINE ECONOMICHE

– Strani parenti, – osservò il professore. – Si lasciano vendere cosí, a poco prezzo. Chissà poi se vendono solo cugine o anche zie, cognate, nipoti e sorellastre.

Poco piú avanti, in una vetrinetta, un cartello scritto a mano diceva:

SI RIPARANO OROLOGGI

– Alla larga, – sghignazzò il professore. – Se questo qui ripara gli orologi come ripara gli errori di ortografia, non farà molti affari davvero.

Continuando la sua passeggiata, il professore poté registrare un negozio in cui si vendevano «CALSE» e ridacchiò: – Ah, ora le calze le vendono direttamente col buco!...

Una strana strada davvero, ma ve l'ho detto: era una strada sbagliata. Per il resto aveva tutto: un calzolaio che vantava le sue «SCARPE FATTE A NANO», un fornaio che vendeva «PANE E BASTA», e una splendida, modernissima «PANCA».

Qui il professore scoppiò a ridere tanto forte che il direttore della «PANCA» si affacciò a vedere che mai stesse succedendo.

– Rido, – spiegò Grammaticus, – domandandomi dove li tenete i quattrini: sopra la panca, insieme con la capra che campa, o sotto la panca, insieme con la capra che crepa?

L'ultimo negozio della via annunciava una vendita straordinaria di «NOBILI PER UFFICIO».

– Eh, – commentò malinconicamente il professore, – tutto passa a questo mondo! Ecco dove sono finite le glorie dell'aristocrazia: un conte è diventato un tavolino, una duchessa si è ridotta a fare da scrivania. E naturalmente ci sarà il marchese scaffale, il barone portatelefono e via discorrendo. Ma in fondo, non è mica un male: c'è qualcosa di più nobile del lavoro?

La strega

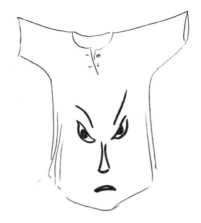

Una volta il professor Grammaticus decise di ritirarsi per qualche giorno in montagna a meditare sull'analisi logica.

«Nella pace dei pascoli, – egli pensava, – nel silenzio dei boschi potrò contemplare a mio agio le bellezze del complemento oggetto. La sera, per passatempo, inventerò dei predicati verbali».

Detto e fatto, scelse sulla guida un paesino dell'Appennino tosco-romagnolo, si recò alla stazione delle autocorriere e partí, sorridendo alla visione di un complemento di moto a luogo.

Quando il paesino gli apparve, in sella tra due cime verdi, il professor Grammaticus fu lí lí per piangere dall'emozione: era bello e accogliente come un complemento di stato in luogo.

Purtroppo, appena sceso dall'autocorriera sulla piccola piazza, egli fu costretto a inorridire. Un vociare confuso e rabbioso veniva dalle stradine e dai vicoli; donne strillanti si affacciavano alle finestre, chiassosi ragazzi accorrevano d'ogni parte.

– Che c'è? Che succede? Forse un incendio? – domandò il professore perplesso e, dentro di sé, già deciso a procurarsi un paese piú calmo.

– Se lei sapesse, – disse un vecchietto, perdendo la pipa per l'emozione.

– Desidero appunto sapere. Mi informi.

– Abbiamo scoperto una strega e stiamo per bruciarla.

– Una strega? Nell'era della televisione e degli «sputnik»?

– Sicuro. Si dice che abbia fatto orribili malie.

– Ma è impossibile!

– Impossibile? Guardi lei stesso.

Il rumoroso corteo stava infatti giungendo sulla piazza. Una giovane donna con le mani legate avanzava vergognosa tra la folla schiamazzante.

– Ecco la prova! – gridò il vecchietto, indicando il cartello che la giovane recava appeso al collo.

Il professor Grammaticus inforcò gli occhiali e lesse:

– *Maliaia fine. Faccio malie di tutte le misure.*

Fu un lampo.

– Alt! – intimò il professore, spalancando le braccia.

La folla si arrestò davanti a quell'autorevole personaggio. Nell'improvviso silenzio si udì un lattante frignare.

– Che vuole lei? – domandò finalmente un omaccione coi baffi rossi. – Si faccia da parte, se non vuol essere bruciato insieme con la strega.

– Questa donna è innocente!

– E lei come lo sa?

– Osservate!

Il professor Grammaticus levò la matita rossa dal taschino, si chinò sul cartello e vi scarabocchiò in fretta qualcosa.

– Leggete ora!

E tutti lessero: – *Magliaia fine. Faccio maglie di tutte le misure.*

– Avete capito? – gridò il professor Grammaticus, trionfante. – Questa giovane artigiana non si occupa di stregoneria, ma di maglieria. E per dimostrarvi la mia fiducia in lei le ordino seduta stante di confezionarmi un maglione giro collo di lana blu, con le mie iniziali ricamate in rosso sul petto.

La giovane magliaia cadde in ginocchio davanti al professor Grammaticus e fece l'atto di baciargli le mani.

Ma il professore la rialzò cavallerescamente, sciolse la corda che la legava e le diede mille lire di anticipo per il maglione.

La giovane promise che, nei ritagli di tempo, avrebbe fatto esercizi di autodettatura e si allontanò felice, festeggiatissima dai compaesani, che in fondo erano ben contenti di non essere costretti a bruciarla.

Le teste scambiate

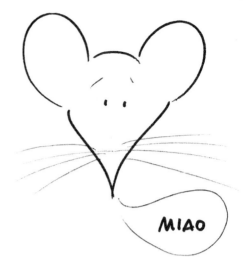

MIAO

Marco e Mirco, i gemelli terribili, non hanno alcun rispetto per la grammatica e per i suoi esercizi. I discoli non sanno a quali spaventose conseguenze vanno incontro...

Ieri, per compito, essi dovevano accordare una lista di nomi di animali con una seconda lista di verbi.

Ecco ciò che essi hanno scritto:

– *Il gatto ruggisce*
– *La pecora ulula*
– *Il lupo squittisce*
– *Il topo miagola*
– *Il leone bela...*

A questo punto, però, un leone è balzato nella loro camera dalla finestra. Era molto offeso. Se volete, diciamo pure che era arrabbiato.

– Ah, io belo? Io faccio bèè bèè? Ora vi faccio sentire.

Con la zampa sinistra ha afferrato Marco, con la destra Mirco, e ha cominciato a battere la testa di Mirco contro la testa di Marco. Le teste dei terribili gemelli non si sono rotte. Però si sono scambiate. La testa di Marco è finita sul collo di Mirco. La testa di Mirco è finita sul collo di Marco.

La mamma, quando è rincasata, ha avuto un bel da fare a rimettere le teste al loro posto, consumando moltissima colla. Con quel che costa la colla al giorno d'oggi.

Il «trantran»

Il professor Grammaticus si avvicinò all'uomo che aveva appena finito di inchiodare il cartello a un palo.

– Scusi, – lo interpellò.

– Dica, dica.

– È sicuro che quel cartello vada bene?

– A me lo domanda? Non l'ho mica scritto io. Si rivolga al Comune.

– Ma secondo lei, sentiamo?

L'operaio guardò il cartello come se lo vedesse per la prima volta e lesse:

ATTENTI AL TRAN

– Per me va benissimo, – disse.

– Lo sospettavo. Non nota almeno un piccolo errore?

– Senta, mi lasci perdere. Mi aspettano a casa.

– Ah, ma io non la trattengo! Solo vorrei che mi spiegasse che cos'è un *tran*. Perché io so che cos'è un *tram*, con la *emme*; ma quella roba lí non la conosco.

– Be', ci stia attento lo stesso. Buonasera.

E l'operaio se ne andò per i fatti suoi. Il professore era

visibilmente indignato. Tanto visibilmente che un passante gli chiese:

– Le è successo qualcosa?

– Non a me, – sbottò il professore, – all'ortografia!

Il passante lesse il cartello e sorrise.

– Sorride? Beato lei! A me queste cose mi fanno piangere.

– Pensavo, – disse il passante. – In fondo quel cartello non è sbagliato come crede lei.

– Benissimo. Allora ci scriva addirittura: «attenti al tran-tran».

– Ecco. È proprio quello che stavo pensando. Il tram è pericoloso, ma il «TRANTRAN» è piú pericoloso ancora. Il tram può spezzare una gamba, ma il «trantran» può uccidere il pensiero. Non è peggio?

Il professor Grammaticus rimase a meditare sulle parole del passante. E se ci penserete un po' anche voi, non vi sarà difficile capirle.

Il triste Enrico

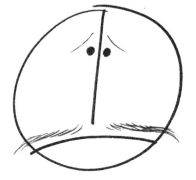

Enrico, il triste Enrico, è l'uomo piú sfortunato del mondo. Chiedetelo a lui, sentirete che cosa vi risponderà.

– Enrico, triste Enrico, è vero che tu sei l'uomo piú sfortunato del mondo?

– Signore sí, è vero.

Ecco, avete sentito.

Questa è la sua storia.

Sbagliato dalla nascita.

Il triste Enrico fu sfortunato fin dalla nascita. Paragonatelo a Garibaldi, Napoleone, Giuseppe Verdi, e comprenderete il perché. Si legge nei libri che «Garibaldi nacque», «Napoleone nacque» e «Giuseppe Verdi nacque». Lui invece...

– Enrico, triste Enrico, quando e dove nascesti?

– Signore, io *naccui...*

Alt. Ecco l'origine di tutti i suoi mali. Egli «naccue», intendete? *Naccue.* Segnata da questo passato remoto sbagliato, che cosa poteva essere la sua vita? Una vita sbagliata. Il triste Enrico è un uomo sbagliato.

Rimandato a «otobre».

– Enrico, triste Enrico, vuoi raccontarci qualcuna delle tue disavventure?

– Lo farò, signore. Andavo a scuola, e per ragioni personali venni rimandato a «otobre».

– Vorrai dire «a ottobre», con due «t»?

– No, signore. Voglio dire come ho detto. Tanto è vero che quando mi presentai agli esami di riparazione fui rimandato indietro. «Tu ti devi presentare a *otobre*, non a *ottobre*». Tornai a casa, ma il mese di «otobre» non venne mai, né quell'anno né in seguito. Ancora lo aspetto.

Enrico e il «dottore».

Da bambino il triste Enrico era piuttosto bruttino. Anche piú brutto di adesso. Aveva un «colo» troppo stretto, un «orecio» senza padiglione, e camminava malissimo per colpa dei «pieti» troppo rigidi. Un buon medico, con una cura adatta, avrebbe potuto migliorare il suo aspetto. Purtroppo lo portarono da un «dotore» sbagliato, che non avrebbe saputo guarire un topo dalla paura dei gatti. Cosí Enrico rimase bruttino. Questo non è un gran male, non tutti possiamo essere belli. Quel che conta è il cuore. Il triste Enrico aveva un «quore» piú grosso del normale, e ciò lo rendeva anche piú triste.

Enrico e il sarto.

Il triste Enrico andò dal sarto per farsi fare un vestito. Sfortunato com'era, s'imbatté in un sarto che cuciva malissimo i «botoni»: naturalmente simili «botoni» non tenevano niente. La giacca cascava da tutte le parti. I pantaloni pure. Un disastro.

I mestieri di Enrico.

– Enrico, triste Enrico, hai imparato qualche mestiere?

– Ne ho provati molti, signore. La buona volontà non mi mancava. Mi mancava la fortuna. Feci dapprima l'apprendista, diventai un discreto «mecanico», ma a diventare un vero «meccanico», con due «c», non ci sono riuscito. Il mio secondo istruttore fu un «faleniame»: anche a lui mancava qualcosa, come volete che mi istruisse a dovere? Per qualche tempo ho fatto l'«arotino», ma guadagnavo troppo poco, e con una sola «erre» i coltelli non venivano mai affilati a dovere. L'anno scorso facevo il «calsolaio». Mi pareva di farlo cosí bene. Ma i clienti dicevano che le mie scarpe non valevano uno zero. Ora vivo di elemosina, signore. Ma la gente mi dà soltanto soldi sbagliati. Volevo dire, falsi.

Enrico e l'automobile.
Enrico, il triste Enrico, non riesce a nulla nella vita. Una volta gli fu detto: «Impara almeno a guidare l'automobile, è una cosa che tutti sanno fare, anche il piú sciocco di questo mondo».

Il piú sciocco sí, ma il triste Enrico no.

Egli imparò a guidare l'*altomobile*, l'*ottomobile* e l'*autonobile*, ma non a guidare una vera e propria automobile. Sbagliava il freno con l'acceleratore e montava sui marciapiedi, terrorizzando i passanti. Per poco non venne dichiarato nemico pubblico.

Enrico e la morte.
– Enrico, povero triste Enrico, quanti anni hai?
– Duecentonovantacinque, signore.
– Cosa?
– Ma sí. Una volta la morte venne a prendermi. Aveva pronta una bella lapide su cui c'era scritto: «*Morse nel cuore degli anni*». Per caso mi accorsi dell'errore e glielo feci notare. «Si dice morí, non morse». La morte si è vergognata tanto che è scappata e non si è mai piú fatta vedere.
– Ma allora non sei cosí sfortunato come si dice?
– Già, forse no.

La torre pendente

Il professor Grammaticus, una volta, andò a Pisa, salí sulla Torre Pendente, aspettò che gli passasse il capogiro e cominciò a gridare:

– Cittadini! Pisani! Amici miei!

I Pisani guardarono per aria e si rallegrarono: – Oh, la Torre s'è messa a parlare e a fare i discorsi.

Poi videro il professore, e lo udirono continuare:

– Sapete perché la vostra torre pende? Ve lo dirò io. Non date retta a quelli che vi parlano di cedimenti del sottosuolo, e cosí via. C'è, è vero, nelle fondamenta un piccolo errore, ma è di tutt'altro genere. Gli architetti di una volta non erano assai forti in ortografia. Cosí è successo loro di costruire una torre che stava in «ecuilibrio», anziché in «equilibrio». Mi spiego? In «ecuilibrio» sulla «c» non ci starebbe nemmeno uno stecchino: figuriamoci un campanile. Ecco dunque pronta la soluzione. Iniettiamo nelle fondamenta una piccola dose di «q», e la torre si raddrizzerà in un attimo.

– Mai sia! – gridarono ad una voce i Pisani. – Torri diritte ce ne sono in ogni angolo del mondo. Quella pendente ce l'abbiamo solo noi, e dovremmo raddrizzarla? Arrestate quel pazzo. Accompagnatelo alla stazione e mettetelo sul primo treno.

Il professor Grammaticus fu preso per le braccia da due guardie, accompagnato alla stazione e messo sul primo treno: un omnibus per Grosseto che si fermava ad ogni passo e impiegò mezza giornata a fare cento chilometri. Così il professore ebbe modo di meditare sull'ingratitudine umana. Egli si sentiva abbattuto come Don Chisciotte dopo la battaglia con i mulini a vento. Ma non si scoraggiò. A Grosseto studiò le coincidenze e tornò a Pisa di nascosto, deciso a fare la sua iniezione di «q» alla Torre Pendente a dispetto dei Pisani.

Per caso, quella sera, c'era la luna. (Anzi, non per caso: c'era perché ci doveva essere.) Al chiaro di luna la torre era così bella, pendeva con tanta grazia, che il professore rimase lí estatico a rimirarla e intanto pensava: «Ah, come sono belle, certe volte, le cose sbagliate!»

L'ultimo giorno di «squola»

Non posso ricordare senza un brivido il mio ultimo, terribile giorno di scuola a Brusino, su un certo lago mezzo italiano e mezzo svizzero che non vi dico. Perché terribile? Giudicate voi stessi.

La mia classe era una quarta mista, ma cosí mista che nei primi banchi erano rimasti non pochi scolari di terza. Verso le dieci mi accinsi a dettare il tema che, nelle mie intenzioni, doveva solennizzare la chiusura dell'anno scolastico e – durante lo svolgimento – permettermi di completare una poesia cominciata la sera prima. Lo confesso, e voi perdonatemi: facevo le poesie a scuola. Ero un pessimo maestro e un pessimo poeta. Ma è acqua passata.

Nel dettare mi trovai alle spalle del solito Orlando Parini. Quello era senz'altro un ottimo punto di osservazione, se mi andava di sorprendere al volo un errore di ortografia e di commentarlo con qualche battuta di spirito. Il bravo Orlando riusciva spesso a mettere un errore anche nell'articolo «il», e nemmeno quella volta mi deluse, perché – senza mai cessare di mordersi coscienziosamente la lingua – lo vidi scrivere tutto soddisfatto:

– Oggi è l'ultimo giorno di *squola*.

Proprio cosí: *squola*, con una bellissima «q» che avrebbe fatto la felicità di un *acquedotto*.

– Caro e degnissimo signor Orlando... – cominciai. Ma non potei finire la frase, perché in quello stesso momento la porta si aprí, e nell'aula fece il suo ingresso uno sconosciuto. Egli mi fece un profondo inchino, permettendomi cosí di notare che portava sul capo la metà di un berretto del genere di quelli che usano i ferrovieri: e quella pericolante metà era assicurata alla testa per mezzo di una cordicella.

– Il signor maestro ha chiamato? – domandò il personaggio, risollevandosi dal suo inchino.

– Non ho chiamato nessuno, – risposi il piú gentilmente possibile, – ma comunque non avrei chiamato lei, della cui esistenza ero del tutto ignaro fino a trenta secondi or sono. Vuol avere la bontà di presentarsi?

– Ma sono il *bidelo*, – disse lo sconosciuto, indicando con un dito il suo mezzo berretto.

– Vorrà dire il *bidello*, – corressi, – con due elle, signor mio: bi-del-lo.

– Eh, magari, – sospirò il mezzo berretto, – magari fosse come dice lei! Purtroppo sono soltanto un *bidelo*.

– Sarà, ma noi abbiamo invece una bidella, e quella ci basta. Tanto piú che è anche grassottella.

– Per favore, – disse il personaggio, – guardi dalla finestra.

Troppo meravigliato per invitarlo ad occuparsi dei fatti suoi, gettai un'occhiata attraverso i vetri. Aiuto e misericordia! Dove era il magnifico panorama da me cantato in tanti sonetti? Il lago era scomparso. Scomparsi i cigni, gli abeti, le ville, i battelli. Scomparso il paese. Il nostro caro edificio scolastico era circondato da uno spaventoso deserto, nel quale crescevano qua e là alberi orribili, ficcati nella terra con la chioma all'ingiú e con le radici al vento.

– Che succede? – mormorai. – Dove ci troviamo?

– Sul pianeta *sbaliato*, – rispose il *bidelo*.

– Vorrà dire «sbagliato», con la «g», – corressi.

– Ma è «sbaliato» appunto perché non ha la «g»! La vuol capire o no?

– Insomma, cosa c'è da capire?

– Signor maestro, una cosa semplicissima: un suo scolaro deve aver fatto un errore di ortografia piú grosso del solito, per colpa del quale l'intera scuola è precipitata nel Pianeta Sbaliato, detto pure Pianeta degli Errori. Difatti è qui che si radunano, da tutte le parti dell'universo, gli errori di ortografia e le loro conseguenze.

Gli occhi mi caddero sul quaderno di Orlando, su quella «squola» con la «q»... Tutto era chiaro, ahimè, ahinoi! Ma non ebbi cuore di rimproverare il colpevole, che mi guardava mite e affettuoso come sempre, e non si rendeva conto di nulla.

– Non se la prenda, – disse il *bidelo*, – anch'io sono qui per un errore. E per giunta con solo metà del mio berretto: per averlo intero mi è mancata una «elle».

– E ora che succederà?

– Oh, niente. Tutta la scuola rimarrà su questo pianeta fino al momento in cui tutti gli scolari riusciranno a scrivere una riga intera senza errori.

Detto ciò, il *bidelo* mi regalò un secondo inchino e disparve.

– Ragazzi, – dissi, – non perdiamo tempo. Svolgete il vostro tema con la massima attenzione. Mi raccomando l'ortografia che a questo punto, per noi, è questione di vita o di morte. Orlando, siamo intesi?

Orlando mi sorrise beato. Le teste si chinarono sui banchi, le penne aggredirono i calamai...

– Signor maestro, – protestarono diverse voci, dai diversi punti cardinali, – quest'inchiostro non scrive.

Come se fosse stato dietro la porta a origliare, ricomparve miracolosamente il *bidelo*, per annunciare tra due inchini: – Per forza non scrive: è inchiostro senza «acca», semplicemente «inciostro». Non macchia nemmeno i pantaloni. E purtroppo non vi posso essere utile in altro modo: la mia *pena* ha una sola enne, ed è assolutamente inservibile...

Distribuii delle matite e mi disposi a sorvegliare Orlando, deciso – se non proprio a suggerirgli – a tentare di trasmettergli le correzioni col pensiero. Ma ecco di ritorno il diabolico *bidelo*:

– Signor maestro, non viene più acqua dai rubinetti.

– E cosa vuole che me ne importi?

– Dicevo per dire. Forse qualcuno dei suoi scolari ha scritto «acua» senza «q», e ha provocato un guasto degli impianti...

– È stata Clara! – gridò Rosetta, additando la sua compagna di banco.

Clara scoppiò in singhiozzi. Tre banchi avanti le risposero i singhiozzi della sua gemella, Albertina. Le due bambine si amavano teneramente, e se piangeva l'una piangeva anche l'altra.

– Per l'amor del cielo! – gridai. Stavo proprio per perdere la pazienza, quando il mezzo berretto dell'eterno *bidelo* si riaffacciò. Portava una carta geografica.

– Ma che fa? Che vuole? Le ho forse chiesto qualcosa?

– Io ubbidisco alle disposizioni superiori, – protestò il *bidelo*. – Ecco guardi: questo qui ha scritto «Itaglia» con la «g».

«Questo qui» era Ossola Giuseppe di Giuseppe (cosí chiamato per distinguerlo da Ossola Giuseppe di Carlo e da Ossola Giuseppe di Antonio).

– Ed ecco il risultato, – trionfò il *bidelo*, mostrando alla scolaresca la carta geografica. Vi era raffigurata una povera Italia sopravvissuta a qualche spaventoso cataclisma: la Sicilia era al posto della Lombardia, Milano galleggiava con l'isola d'Elba nel golfo di Napoli, Roma era in cima al Monte Bianco...

Povera patria, tutta sbagliata! Ma sospirare e rabbrividire non serviva a nulla. Intanto ci accorgemmo con ribrezzo che dalla porta, lasciata semiaperta dal *bidelo*, scivolavano dentro topi a dozzine, zampettando e squittendo come se li avesse chiamati il pifferaio di Hamelin.

– Al solito, – commentò il *bidelo*. – Dai topi non ci possiamo proprio difendere, sa? Abbiamo solo *trapole* con una «p» sola: scappano fuori che è un piacere. E il bello è che...

Ma non saprò mai che cosa fosse «bello» per il mio *bidelo*, perché nel bel mezzo della frase egli scomparve. E scomparvero con lui i topi. E sul muro la carta geografica si ricompose, e l'Italia assunse l'usata forma di uno stivale. E fuori dalla finestra ricomparvero i cigni, il lago, i boschi, il villaggio. Eravamo tornati sulla terra! Vittoria! La fatidica riga senza errori era stata scritta. Guardai sul quaderno di Orlando e vi lessi: «Mi dispiace lasciare il mio caro maestro». Orlando mi restituí lo sguardo, beato; ma stavolta

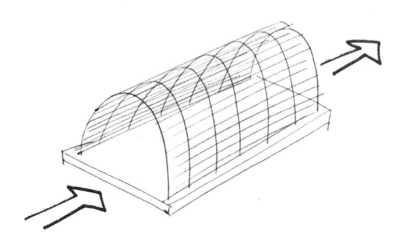

aveva il diritto di sorridere, perché non aveva fatto il minimo sbaglio.

– Basta cosí, – ordinai, prima che un nuovo errore ci esiliasse per la seconda volta sul Pianeta Sbaliato. – Basta cosí, per oggi e per quest'anno. Buone vacanze a tutti!

Il «verbo solitario»

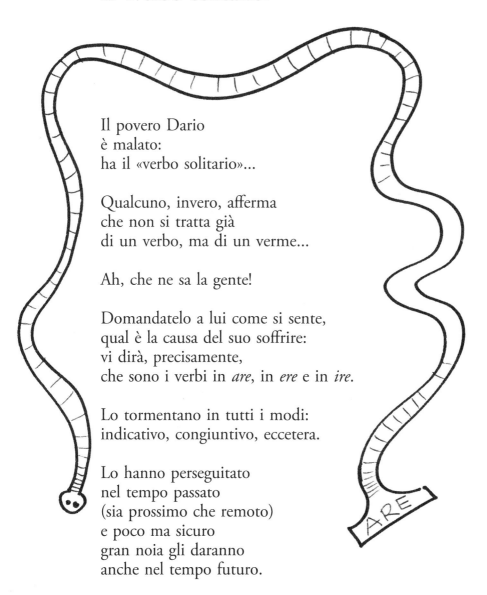

Il povero Dario
è malato:
ha il «verbo solitario»...

Qualcuno, invero, afferma
che non si tratta già
di un verbo, ma di un verme...

Ah, che ne sa la gente!

Domandatelo a lui come si sente,
qual è la causa del suo soffrire:
vi dirà, precisamente,
che sono i verbi in *are*, in *ere* e in *ire*.

Lo tormentano in tutti i modi:
indicativo, congiuntivo, eccetera.

Lo hanno perseguitato
nel tempo passato
(sia prossimo che remoto)
e poco ma sicuro
gran noia gli daranno
anche nel tempo futuro.

Che spasimi atroci
quando deve coniugare
nelle sue strane voci
un verbo irregolare...

Per fortuna non manca
un gerundio medicinale:
il malato, *giocando*,
dimentica ogni male.

Viaggio in Lamponia

Si può viaggiare in treno, in automobile,
e in macchina da scrivere perché no?

Io ci ho provato.
Semplicemente battendo
un tasto sbagliato
sono arrivato in Lamponia:
un paese dolcissimo
che sa di marmellata e di sciroppo
e somiglia un pochino, ma non troppo,
alla Lapponia propriamente detta
che se ne sta a rabbrividire lassú
alle soglie del Polo.

Il popolo dei Lamponi
confina con altri popoli
buoni e tranquilli:
fragole, mirtilli,
lucciole e grilli.

Spesso giungono in visita
dagli Stati vicini
farfalle, api, bambini
con il cappellino bianco
che presto sarà nero di more...

O paese felice,
scoperto per errore,
Lamponia del mio cuore!

Parte seconda

Errori in blu

Armi dell'allegria

Eccole qua
le armi che piacciono a me:
la pistola che fa solo *pum*
(o *bang*, se ha letto
qualche fumetto)
ma buchi non ne fa...
il cannoncino che spara
senza fare tremare
nemmeno il tavolino...
il fuciletto ad aria
che talvolta per sbaglio
colpisce il bersaglio
ma non farebbe male
né a una mosca né a un caporale...
Armi dell'allegria!
Le altre, per piacere,
ma buttatele tutte via!

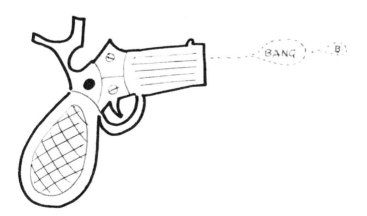

Bambini e bambole

La mia bambina ha una bambola,
e la sua bambola ha tutto:
il letto, la carrozzina,
i mobili da cucina,
e chicchere, e posate, e scodelle,
e un armadio con i vestiti
sulle stampelle, in folla,
e un'automobile a molla
con la quale
passeggia per il corridoio
quando le scarpe le fanno male.

La mia bambina ha una bambola,
e la sua bambola ha tutto,
perfino altre bamboline
piú piccoline,
anche loro con le loro scodelline,
chiccherine, posatine eccetera.
E questa è una storiella divertente
ma solo un poco, perché
ci sono bambole che hanno tutto
e bambini che non hanno niente.

L'uomo piú bravo del mondo

Io so la storia dell'uomo piú bravo del mondo ma non so se vi piacerà. Ve la racconto lo stesso? Ve la racconto.

Si chiamava Primo, e fin da piccolo aveva deciso: – Primo di nome e di fatto. Sarò sempre il primo in tutto.

E invece era sempre l'ultimo.

Era l'ultimo ad aver paura, l'ultimo a scappare, l'ultimo a dir bugie, l'ultimo a far cattiverie, ma cosí ultimo che cattiverie non ne faceva per niente.

I suoi amici erano tutti primi in qualche cosa. Uno era il primo ladro della città, l'altro il primo prepotente del quartiere, un terzo il primo sciocco del casamento. E lui invece era sempre l'ultimo a dire sciocchezze, e quando veniva il suo turno di dirne una stava zitto.

Era l'uomo piú bravo del mondo ma fu l'ultimo a saperlo. Cosí ultimo, che non lo sapeva per niente.

Chi comanda?

Ho domandato a una bambina: – Chi comanda in casa?
Sta zitta e mi guarda.
– Su, chi comanda da voi: il babbo o la mamma?
La bambina mi guarda e non risponde.
– Dunque, me lo dici? Dimmi chi è il padrone.
Di nuovo mi guarda, perplessa.
– Non sai cosa vuol dire comandare?
Sí che lo sa.
– Non sai cosa vuol dire padrone?
Sí che lo sa.
– E allora?
Mi guarda e tace. Mi debbo arrabbiare? O forse è muta, la poverina. Ora poi scappa addirittura, di corsa, fino in cima al prato. E di lassú si volta a mostrarmi la lingua e mi grida, ridendo: – Non comanda nessuno, perché ci vogliamo bene.

Un re senza corona

C'era una volta un re senza corona.

Era la seconda nota della scala musicale, abitava proprio sotto il rigo, e per combinazione vedeva al piano di sopra un «mi» che aveva una corona grossa così. Sapete, i musicisti mettono un segno detto «corona» su certe note, per far sapere al suonatore: – Questa nota coronata puoi tenerla lunga quanto ti pare, fin che ti basta il fiato...

Così può capitare che un *mi* abbia la corona, e sta bene. Può capitare che ce l'abbia un *sol*, ma questo è spiegabile, perché è la quinta nota della scala musicale, e la quinta nota si chiama anche «dominante». E può capitare che un «re» non ce l'abbia affatto. La stragrande maggioranza dei «re» musicali non hanno mai avuto corona e non se ne sono lamentati con nessuno.

Ma questo re si lamentava e non ne voleva sapere.

– L'autore, – egli diceva, – mi ha trascurato indegnamente. Darò le dimissioni –. Difatti si dimise e se ne andò. Al suo posto, rimasto vuoto, il musicista dovette mettere il segno di pausa.

Ora, quando suono quel pezzo sul mio violino, giunto in quel punto debbo fare un attimo di silenzio in ricordo del re scontento.

Il dromedario
e il cammello

Un giorno il dromedario disse al cammello: – Amico, ti compiango. Permetti che ti faccia le mie condoglianze.

– Perché? – domandò il cammello. – Non sono mica in lutto.

– Vedo, – proseguí il dromedario, – che non ti rendi conto della tua disgrazia. Tu sei chiaramente un dromedario sbagliato per eccesso: hai due gobbe anziché una sola. Ciò è molto, molto triste.

– Prego, – disse il cammello, – io non volevo dirtelo per delicatezza, ma visto che sei entrato nel discorso sappi, invece, che la disgrazia è tutta tua. Tu sei chiaramente un cammello sbagliato per difetto: difatti hai una sola gobba anziché due, come dovresti.

La discussione continuò per un bel pezzo, e i due animali stavano già per venire alle mani, anzi, alle gobbe, quando passò di lí un beduino.

– Chiediamo a lui chi di noi due ha ragione, – propose il dromedario.

Il beduino li stette ad ascoltare pazientemente, scosse la testa e rispose: – Amici miei, siete sbagliati tutti e due. Ma non nelle gobbe: quelle ve le ha date la natura, il cammello è bello perché ne ha due e il dromedario è bello perché ne ha una sola. Siete sbagliati nel cervello, perché non l'avete ancora capito.

Il viaggio del grillo

C'era una volta un grillo, bravissimo cantore,
sapeva a memoria l'Aida e il Trovatore.

Era un tenore, ma anche un tantino soprano
e andò a cantare alla Scala di Milano.

Per risparmiare i soldi – il treno costava troppo –
viaggiava a piedi, anzi, viaggiava a piede zoppo:

era un grillo istruito, sempre il primo a scuola,
viaggiando con un sol piede consumava una scarpa sola.

Suonano le otto a Somma Lombardo,
si sente dire che il grillo è in ritardo.

Suonano le nove a Luino e a Dumenza,
giú acqua a secchi, il grillo ha l'influenza.

Suonano le dieci in tutta la Lombardia,
il grillo fa uno sternuto e lo cacciano via.

Suonano le undici sui monti di Varese,
si sente dire che il grillo è tornato al suo paese.

Suona la mezzanotte a Castelletto Ticino,
ma il grillo non dorme e piange sul cuscino.

La morale della storia la sanno anche a Mombello:
anche il grillo era un tenore, se aveva l'ombrello.

L'eco sbagliata

Non venitemi piú a decantare le meraviglie dell'eco. Ieri mi hanno portato a provarne una. Ho cominciato con semplici domandine di aritmetica:

– Quanto fa due per due?

– Due, – ha risposto l'eco, senza riflettere. Un buon inizio, non c'è che dire.

– Quanto fa tre per tre?

– Tre, – ha esclamato giuliva la scioccherella. L'aritmetica, evidentemente, non era il suo forte. Per darle un'altra occasione di fare bella figura le ho chiesto allora:

– Ascolta, ma pensaci un momentino prima di rispondere: È piú grande Roma o Como?

– Como, – ha esultato l'eco.

Va bene, lasciamo stare anche la geografia. Proviamo con la storia. Chi ha fondato Roma: Romolo o Manfredini?

– Manfredini, – ha gridato l'eco. Tifosa, per giunta. Non mi sono piú tenuto, e le ho voluto dare la stoccata finale:

– Chi è piú ignorante fra me e te?

– Te! – ha risposto l'eco. Impertinente.

No, no, non venitemi piú a decantare le meraviglie dell'eco, eccetera eccetera.

Le due repubbliche

Una volta c'erano due repubbliche: una si chiamava Repubblica di Sempronia e l'altra Repubblica di Tizia. C'erano da tanto tempo, da secoli, ed erano sempre state confinanti.

I ragazzi di Sempronia, a scuola imparavano che la Sempronia confinava a ovest con la Tizia, e guai se non lo tenevano a mente.

I ragazzi di Tizia imparavano che la Tizia confinava ad est con la Sempronia e se non rispondevano giusto su questo punto venivano bocciati.

In tanti secoli, si capisce, la Sempronia e la Tizia avevano litigato un'infinità di volte e si erano fatte una decina di guerre a dir poco, prima con le lance, poi con le colubrine, poi con i cannoni, gli aeroplani, i carri armati, eccetera. Mica che i Semproniani e i Tiziani si odiassero. Anzi, quando c'era la pace, i Semproniani si affrettavano a visitare la Tizia e la trovavano molto bella, e i Tiziani passavano le vacanze in Sempronia, e ci si trovavano benissimo.

Però i ragazzi, a scuola, studiando la storia, ne venivano a sapere di tutti i colori sui loro vicini.

Gli scolari di Sempronia leggevano nei loro libri che le guerre erano sempre scoppiate per colpa della Tizia.

Gli scolari di Tizia leggevano nei loro libri che i Semproniani avevano piú volte aggredito la loro patria.

Gli scolari di Tizia studiavano: – Nella famosa battaglia di Pensaunpò i Semproniani furono messi vergognosamente in fuga.

Gli scolari di Sempronia recitavano: – Nella famosa battaglia di Pocodopo i Tiziani subirono una paurosa sconfitta.

Nei libri di storia di Sempronia erano elencate accuratamente le malefatte dei Tiziani.

Nei libri di storia di Tizia c'era il registro completo dei delitti dei Semproniani.

Una bella confusione, vero? Però non è colpa mia. Le cose stavano cosí, tra quelle due repubbliche, e forse anche tra altre repubbliche che adesso non mi vengono in mente.

L'ultimo merlo

C'era una volta un paese di là dal mare
dove si sentiva
un merlo cantare.
Non è favola, è verità:

il merlo era vero, cantava davvero,
fischiava e zufolava il giorno intero,
allegro e giocondo.
Però era l'ultimo merlo
rimasto al mondo.

E la gente venne a sapere
che in un paese cosí e cosí
c'era un merlo da qui fin qui,
eccetera eccetera. Immantinente
cominciarono ad arrivare
da tutte le parti
in treno, in bicicletta, in automobile,
in corriera e in motoretta,
rombando e strombettando,
per essere i primi a sentirlo
quel magico merlo.

Naturalmente,
con tutto quel chiasso
non sentirono un bel niente.
Stanchi e scontenti infine si ritirarono.

Ma il merlo, spaventato,
era fuggito e non è piú tornato.
E adesso al mondo non c'è piú un paese
dove si possa ascoltare
un merlo cantare.

La mia mucca

La mia mucca è turchina
si chiama Carletto
le piace andare in tram
senza pagare il biglietto.

Confina a nord con le corna,
a sud con la coda.
Porta un vecchio cappotto
e scarpe fuori moda.

La sua superficie
non l'ho mai misurata,
dev'essere un po' meno
della Basilicata.

La mia mucca è buona
e quando crescerà
sarà la consolazione
di mamma e di papà.

(Signor maestro, il mio tema
potrà forse meravigliarla:
io la mucca non ce l'ho,
ho dovuto inventarla.)

Il monumento

Ho saputo che a Tokio in un vecchio monastero
hanno messo un monumento, ma strano per davvero.

È dedicato, dicono, a tre bravi signori
che del *fin-riki-sha* furono gli inventori.

Questo *fin-riki-sha* sarebbe poi il *riksciò*.
Ne sapete come prima? Ve lo descriverò:

È una specie di carrozzino che porta a spasso la gente,
per andare va svelto, è comodo, solamente...

c'è tra le stanghe, al posto del cavallo o del somarello,
un uomo, un uomo vero, e questo non è bello.

Era il caso di fare un monumento agli scaltri
che hanno inventato la fatica degli altri?

In conclusione io trovo, dopo averci ben pensato,
che certi monumenti sono marmo sprecato.

Gli uomini a motore

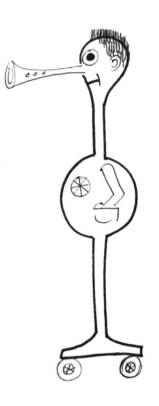

Giovannino Perdigiorno
era un grande viaggiatore:
capitò nel Paese
degli Uomini a motore.

Al posto del cuore
avevano un motorino
che si spegne la sera
e si accende il mattino.

Al posto dei piedi
avevano le rotelle,
le cinghie di trasmissione
erano le bretelle.

Al posto del naso
avevano una trombetta
per chiedere la strada
e correre piú in fretta.

Correvano tutto il giorno
senza mai fermarsi:
non avevano neanche
il tempo di salutarsi.

E non scambiando mai
né parole né saluti
pian piano i poveretti
diventarono muti.

Facevano appena appena
«brum brum» e «perepé».
E Giovannino disse:
«Questo posto non fa per me».

Il povero Tommaso

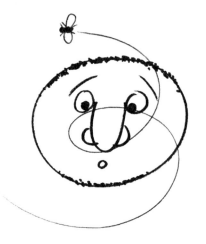

E questa è la canzone
del povero Tommaso
che passava le giornate
a guardarsi la punta del naso.

Dalla mattina alla sera
al suo naso stava attento:
lo riparava dalla pioggia,
d'estate gli faceva vento;

se una mosca, per caso,
gli volava vicino
le gridava: – Pussa via!
Sta' alla larga dal mio nasino.

Dove il suo naso finiva
per lui finiva il mondo:
non spinse mai piú in là
il suo sguardo meditabondo.

E intanto che meditava
gli accadde pure questa:
la sua casa andò in rovina
e il tetto gli cadde in testa...

Lo fasciarono tutto quanto,
lo portarono all'infermeria,
lo si sentiva piangere
in Austria e in Ungheria.

Non piangeva per il tetto,
questo bravo Tommaso,
ma perché non vedeva più
la punta del suo naso.

Tonino l'Obbediente

E questa è la canzone
di Tonino l'Obbediente.
Tanto bravo, però
di sua testa non fa niente.

Se gli dicono, Cammina,
lui balza in piedi e va.
Se gli dicono, Alt,
si ferma e fermo sta.

Guardate, si è fermato.
E ora che fa? Riposa?
Ora aspetta che qualcuno
gli comandi qualcosa.

Se nessuno gli comanda
non sa che fare e che dire.
Se non gli dicono: Dormi,
non riesce neanche a dormire.

È colpa di un dottore,
anche lui bello stolto,
invece delle tonsille,
sapete cosa gli ha tolto?

Gli ha tolto il verbo «volere»
con la magra scusa che
l'erba voglio non cresce
nemmeno nell'orto del re.

Ora attenzione, faremo
un piccolo esperimento.
Tonino, per piacere,
avvicinati un momento:

obbedisci a questi signori,
buttati giú dal tetto!
Visto? Ma presto, correte,
salvate quel poveretto!

Senza dire buongiorno
stava per fare un tuffo.
Per fortuna sono qua io,
per i capelli lo acciuffo...

Ah, Tonino, Tonino!
Quando la vuoi capire
che bisogna pensare
prima di obbedire?

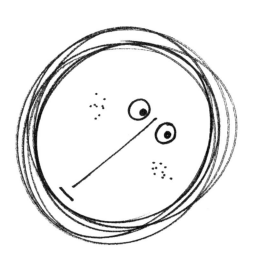

Lamento dell'occhio

L'occhio si lamentava: – Ahimè, ahinoi! Da qualche secolo in qua le cose per me si sono messe male. Ho sempre visto il sole girare intorno alla terra: arriva quel Copernico, arriva quel Galileo, e dimostrano che sbagliavo, perché è la terra che gira intorno al sole. Guardavo nell'acqua, la vedevo limpida e pulita: arriva quell'olandese, inventa il microscopio, e scopre che in una goccia d'acqua ci sono piú animaletti che al giardino zoologico. Guardo in cielo, in quel punto lassú. È tutto nero, ne sono ben certo. Ci vedo benissimo, io. Ma pare che invece io m'inganni: ti puntano un telescopio in quell'angolo nero, e ci si vedono milioni di stelle. Ormai è dimostrato che io vedo tutto sbagliato. Sarà meglio che me ne vada in pensione.

Bravo: e dopo, chi guarderà nel microscopio e nel telescopio?

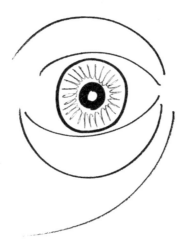

Il grosso moscone
e il piccolo ippopotamo

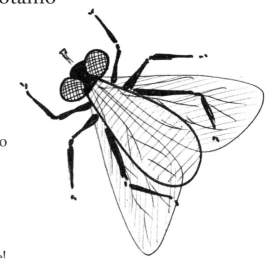

Un grosso moscone
sentí un giorno parlare
di un piccolo ippopotamo
e fece confusione:

– Lui è piccolo, io no.
Dunque lo acchiapperò
e lo terrò al mio servizio.
Che figurone mi farà fare!

Mi vedo già passeggiare
sotto i portici, seguito
dal mio nuovo segretario,
da tutti segnato a dito,
invidiato, riverito.

Diventato proprietario
di un ippopotamo personale
salirò non pochi gradini
della scala sociale.

A mio modo di vedere
un ippopotamo conta di piú
di un titolo di cavaliere.

Tra questi ed altri pensieri
per la caccia partí
l'ambizioso cacciatore.

E scoperse cosí,
non senza umiliazione,
che un piccolo ippopotamo
è sempre un po' piú grosso
di un grossissimo moscone.

A un bambino pittore

Appeso a una parete
ho visto il tuo disegnino:
su un foglio grande grande
c'era un uomo in un angolino,

un uomo piccolo piccolo,
forse anche un po' spaventato
da quel deserto bianco
in cui era capitato,

e se ne stava in disparte
non osando farsi avanti
come un povero nano
nel paese dei giganti.

Tu l'avevi colorato
con vera passione:
ricordo il suo magnifico
cappello arancione.

Ma la prossima volta,
ti prego di cuore,
disegna un uomo più grande,
amico pittore.

Perché quell'uomo sei tu,
tu in persona, ed io voglio
che tu conquisti il mondo:
prendi, intanto, tutto il foglio!

Disegna figure grandi,
forti, senza paura,
pronte a partire per
una bella avventura.

Poveretto o poveretti?

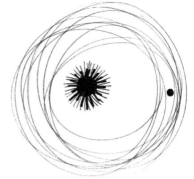

Due gentiluomini attraversavano la campagna a cavallo. Giunsero in vista di una villa silenziosa e si fermarono a guardarla, ammiccando.

Un vecchio dalla gran barba comparve a una finestra della villa. Un attimo appena, e la sua testa si ritirò di nuovo.

– Poveretto, mi fa tanta pena, – disse il primo gentiluomo.

– Eh, ne fa anche a me!

– Però, è proprio matto.

– Eh, matto da legare!

– Che disgrazia per una famiglia.

– Davvero.

– Per fortuna è un pazzo tranquillo. Se si toglie quella sua stramba fissazione...

– Già, appunto quella. Un matematico come lui che si mette a sostenere che la Terra gira intorno al Sole!

– Pura follia. Povero Galileo Galilei.

Proverbi

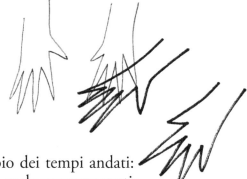

Dice un proverbio dei tempi andati:
«Meglio soli che male accompagnati».
Io ne so uno piú bello assai:
«In compagnia lontano vai».

Dice un proverbio, chissà perché:
«Chi fa da sé fa per tre».
Da quest'orecchio io non ci sento:
«Chi ha cento amici fa per cento».

Dice un proverbio con la muffa:
«Chi sta solo non fa baruffa».
Questa, io dico, è una bugia:
«Se siamo in tanti, si fa allegria».

L'errore di un pulcino

C'era una volta un pulcino
che non sapeva di essere un pulcino.
«Forse, – pensava,
– sono un elefante,
forse un pellicano.
Che ci sarebbe di strano?
Un asino non sono
perché non raglio.
Se fossi un cane
avrei il guinzaglio.
Non vado per mare,
dunque
non sono un ammiraglio.
Ma che sarò mai?
Pozza, bella pozza,
dimmelo tu, se lo sai».

E si specchiò.
Ma quel che vide molto lo indignò.
– Un pulcino? Non è una cosa seria!
E zampettando l'acqua intorbidò
per castigarla
della sua cattiveria.

Un re di legno

C'era una volta un re di legno.
La testa di legno,
la corona di legno,
era tutto di legno, perché
era soltanto la statua di un re.
I tarli gli sforacchiavano il manto.
I ragni tessevano la tela
tra il naso e l'orecchio.
Era di legno, ed era anche assai vecchio.
Era cosí vecchia, la statua di quel re,
che il re di quella statua
era già morto, sepolto e consumato
in fondo al tempo passato,
dove vanno i re veri
con tutto il loro regno
e dove non vanno
le statue di legno.

Rivoluzione

Ho visto una formica
in un giorno freddo e triste
donare alla cicala
metà delle sue provviste.

Tutto cambia: le nuvole,
le favole, le persone...
La formica si fa generosa...
È una rivoluzione.

Due sognatori

C'era una volta un uomo che faceva bellissimi sogni tutte le notti. Poi si alzava e... Ma facciamo un esempio.

Una mattina il signor Proietti si svegliò e chiamò la moglie:

– Presto, vestiti, andiamo in campagna.

– E dove?

– Perbacco, ma sul lago Maggiore, nel nostro nuovo villino.

– Villino?

– Insomma, sei proprio tonta: quel villino con un bel portico davanti e un pergolato d'uva in giardino.

– Te lo sei sognato, per caso?

– Appunto, me lo sono sognato. E ora voglio andarci a passare una quindicina di giorni.

La signora Proietti ebbe un bel protestare: dovette rassegnarsi a fare le valige per andare in campagna.

Prima di sera avevano fatto il giro di tutto il lago Maggiore, compresa la sponda svizzera, ma del villino sognato nessuna traccia.

– Vedi, – disse la signora Proietti, – era soltanto un sogno.

– Non capisco, – borbottò il signor Proietti, – possibile che abbiano rubato un villino intero, compreso il portico e il pergolato?

Un'altra volta il signor Proietti sognò di parlare correntemente in bulgaro. Corse in libreria, comprò due pacchi di libri scritti in bulgaro e giunto a casa cominciò a sfogliarli ansiosamente.

– Strano, – dovette ammettere poco dopo, – non ci capisco piú una parola. Da quando mi sono svegliato sono passate soltanto due ore: possibile che in due ore si possa dimenticare totalmente una lingua straniera?

Il signor Proietti continuò cosí per anni a scambiare i suoi sogni con la realtà, finché una mattina – dopo aver sognato di volare con l'ombrello – si gettò da una finestra del primo piano appeso al parapioggia di sua moglie e si ruppe una gamba.

Guarí in poche settimane. Guarí dalla frattura della gamba e dalla sua fede nei sogni, contemporaneamente. Sognava ancora, ma appena sveglio cercava di dimenticare quello che aveva sognato. Sognava anche a occhi aperti, ma appena se ne accorgeva si scuoteva tutto, come fanno i cani quando escono dall'acqua e vogliono asciugarsi il pelo.

Dimagriva, diventava triste, non parlava piú con nessuno. Suo figlio, che al principio della storia era un bambino, e non ne avevamo nemmeno parlato per non complicare inutilmente le cose, crebbe, si fece un bel giovanottone, allegro, studioso, sportivo, una perla di ragazzo. Ma, per il padre, egli era troppo sognatore.

– Ah, – diceva il ragazzo, – come sogno un bel viaggio! Vorrei fare il giro di tutta l'Europa, dal Portogallo agli Urali.

– Svegliati, – lo ammoniva il padre, – non fare come me.

Il giovanotto, invece di svegliarsi, fece la valigia e partí con l'autostop, e quando tornò aveva girato davvero tutta l'Europa.

– Ah, – diceva poi, – come sogno di andare nella luna!

– Svegliati, – gli diceva il padre, – non confondere i tuoi sogni con la realtà. Certe confusioni sono pericolose.

Il giovanotto, invece di svegliarsi, continuò a fare confusioni, e ne fece tante che alla fine diventò astronauta, andò sulla luna e anche piú lontano.

Il signor Proietti, però, parlando di lui, diceva sempre: – Un gran bravo figliolo, ma è troppo sognatore. Se ne accorgerà, se ne accorgerà.

Il sole nero

La mia bambina
ha disegnato
un sole nero nero, di carbone,
appena circondato
di qualche raggio arancione.
Ho mostrato il disegno a un dottore.
Ha scosso la testa. Ha detto:
– La poverina, sospetto,
è tormentata da un triste pensiero,
che le fa vedere tutto nero.
Nel caso migliore
ha un difetto di vista:
la porti da un oculista.

Cosí il medico disse,
io morivo di paura.
Ma poi guardando meglio in fondo al foglio
vidi che c'era scritto, in piccolo: «L'eclisse».

Il bambino e il tavolo

Un bambino, nel giocare, urtò il tavolo, si fece male a un ginocchio e si infuriò: – Stupido tavolo!

Il padre aveva promesso a quel bambino di portargli un giornaletto illustrato, ma se ne scordò. Il bambino si mise a piangere, il padre s'innervosí e s'infuriò: – Stupido bambino!

Il tavolo fu molto contento.

Che cosa farò da grande

Una volta il professor Grammaticus scovò in un vecchio armadio un pacchetto di componimenti infantili. Roba di trent'anni prima, quando egli faceva il maestro in un'altra città.

«*Tema: che cosa farò da grande*». Questo stava scritto in cima a ciascun foglio, accanto al nome dell'antico scolaretto. Erano ventiquattro nomi: Alberti Mario, Bonetti Silvestro, Caruso Pasquale... Il professor Grammaticus cercò nel suo album la fotografia di quella classe e si provò a confrontare i nomi con i volti.

– Ecco, questo dev'essere Zanetti Arturo. E se fosse invece Righi Rinaldo? Eh, no, non me li ricordo proprio, poveri ragazzi!

Ripose la fotografia e cominciò a leggere qua e là nelle pagine ingiallite, sorridendo agli errori di ortografia. Un apostrofo dimenticato trent'anni fa, che importanza volete che abbia, ormai?

«*Da grande farò l'aviatore, – scriveva Alberti Mario. – In attesa di poter volare raccolgo le fotografie dei modelli di aeroplani che compaiono nei giornali e passo le ore a guardarli e a sognare il mio avvenire...*»

Veramente il buon Mariolino aveva scritto «sogniare», con una «i» di troppo.

– Spero che quella «i» non gli abbia impedito di realizzare il suo sogno, – sospirò il professore.

«*Mio padre è idraulico, e vorrebbe che io continuassi il suo negozio quando sarò grande. Io però voglio fare il musicista. Ho un cugino che suona il violino e...»*

Il professor Grammaticus si alzò per accendere la luce, perché mentre leggeva il tempo era passato e la sera era scesa dentro e fuori la stanza.

Nel girare l'interruttore, gli venne in mente che...

– Ma no, che assurdità! – esclamò ad alta voce.

Però capí subito che ormai la decisione era presa, e che l'indomani mattina...

L'indomani mattina il professor Grammaticus prese il treno, si recò nella grande città di quella vecchia classe e corse all'anagrafe, l'ufficio dove per ogni abitante c'è un cartellino con le notizie che lo riguardano. Il professore levò di tasca il foglietto su cui aveva copiato i nomi dei suoi ventiquattro scolari e cominciò le ricerche. Voleva sapere se quei ragazzi, da grandi, facevano veramente quello che avevano sognato da piccoli.

Io vi debbo dire la verità, anche se è brutta. Vi debbo dire che il professore ebbe molte delusioni, e divenne molto triste a causa delle sue scoperte.

Scoprí, per esempio, che tre dei suoi antichi scolaretti erano morti in guerra, lontano dall'Italia. Poveri sogni loro, povera gioventú.

Scoprí che Alberti Mario non era diventato aviatore, ma cameriere. È un mestiere come un altro, però nessuno scrive mai nei temi: «Da grande farò il cameriere...». Eppure di camerieri ce ne sono moltissimi.

Il figlio dell'idraulico, invece che musicista, era diventato commerciante di bombole a gas. È un commercio pulito, ma non c'entra niente col violino.

Tanti sogni, cammin facendo, cambiano pelle, come certi animali quando è la stagione. Altri è la vita che li disperde, come il vento troppo forte fa cadere i fiori dagli alberi prima che possano diventare frutti. Per ultimo, il professore scoprí che Corsini Renzo, quello che voleva diventare elettricista, era diventato anche lui un professore, e lo andò a trovare.

– Caro Renzo, come stai? Ti ricordi di quando volevi diventare elettricista?

– Io? Non è possibile.

– Eh, già! Guarda qui: questo è il tuo tema.

– Strano, è proprio vero. Eppure non ricordo assolutamente di aver pensato una cosa simile.

– Ma allora, nel tuo tema, hai scritto un sacco di bugie?

– Chissà. Forse è proprio cosí.

Su queste cose il professor Grammaticus rifletté a lungo. Anzi, ci sta ancora riflettendo.

Teste vuote

Giovannino Perdigiorno
su e giú per le corriere,
capitò nel Paese
delle Teste Leggere.

Quei poveretti avevano
la testa fatta cosí,
che se tirava il vento
andava fino a Forlí.

Per tenerla sul collo
mettevano nel cappello
chi un sasso, chi un mattone,
chi un mortaio col pestello.

Con tutto ciò, però,
succedeva ogni pochino
che una testa scappava
via come un palloncino:

a metà dell'ascensione
per fortuna, la sventata,
nei fili del tram
rimaneva impigliata.

E che tristezza poi
veder le teste vuote
ruzzolare per la strada
senza bisogno di ruote.

Erano vuote del tutto,
salvo pochi pensierini
che ci ballavano dentro
come dei sassolini.

Titoli

Ho deciso di inventare
dei titoli da regalare
a chi non sa farne senza
e piange lacrime amare
se nessuno lo chiama *Sua Eccellenza.*

Avanti, ecco qua:
chi vuol essere chiamato
Sua Sincerità?

Per chi ama la tavola
e la buona compagnia
ho pronto il bel titolo
di *Sua Allegria.*

Ho qui anche *Sua Bellezza,*
che mi sembra tanto meglio
perfino di Sua Altezza.

C'è *Sua Generosità*:
chissà se qualcuno lo vorrà.

Sua Solitudine:
adatto per pensatori.

Sua Dolcitudine:
per mangiatori
di budini al cioccolato.

Infine, per chi li merita
secondo giustizia:
Sua Prepotenza,
Sua Ladreria,
Sua Pigrizia.

Pier Tonto

– Pier Tonto, – il babbo dice, – accendi il televisore.
E Piero, tutto pieno di buona volontà,
corre in cucina a prendere i fiammiferi
e di ben ventun pollici un solo fuoco fa.

– Pier Tonto, per favore, spegni la lampadina.
E Piero, premuroso, risponde: – Sí, mammina.
Corre in cucina, attacca una canna al rubinetto:
guardatelo al lavoro, è un pompiere perfetto.

– Prima di attraversare, guarda bene in su e in giú!
E Piero va in istrada a mostrar le sue virtú.
Guarda in su: c'è un'allodola che vola a perpendicolo...
Guarda in giú: c'è il tombino. Via, che non c'è pericolo.

Il tram non l'ha veduto... Ma il tranviere frena, pronto:
– Ehi, tu, ma lo sai che sei proprio un bel tonto?
– Sissignore, – risponde sorridendo il bambino:
– Mi chiamo Pier Tonto. Per gli amici, Tontino.

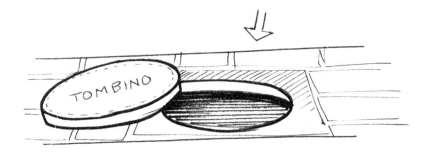

Gli uomini di vetro

Giovannino Perdigiorno,
viaggiando avanti e indietro,
capitò nel Paese
degli uomini di vetro.

Era vetro di Murano,
di prima qualità,
soffiato a regola d'arte
da egregi artisti... ma

bastava una stretta di mano
a far succedere un guaio.
«Crik», si sentiva. E subito:
– Chiamatemi il vetraio.

In compenso quegli uomini
erano trasparenti.
Con loro, nessun pericolo
di bugie e tradimenti.

Potevi vedergli il cuore
e scrutargli i pensieri:
quelli buoni erano bianchi,
quelli cattivi, neri.

Per parlare tra loro
si levavano il cappello:
senza neanche aprir bocca
si leggevano nel cervello.

Qualche volta il cappello
lo tenevano in testa,
perché una buona chiacchierata
è sempre una bella festa.

La torta in cielo

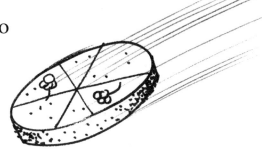

Io sono un sognatore,
ma non sogno solo per me:
sogno una torta in cielo
per darne un poco anche a te.

Una torta di cioccolato
grande come una città,
che arrivi dallo spazio
a piccola velocità.

Sembrerà dapprima una nuvola,
si fermerà su una piazza,
le daremo un'occhiatina
curiosa dalla terrazza...

Ma quando scenderà
come una dolce cometa
ce ne sarà per tutti
da fare festa completa.

Ognuno ne avrà una fetta
piú una ciliegia candita,
e chi non dirà «buona!»,
certo dirà «squisita!»

Poi si verrà a sapere
(e la cosa sarà piú comica)
che qualcuno s'era provato
a buttare una bomba atomica,

ma invece del solito fungo
l'esplosione ha provocato
(per ora nel mio sogno)
una torta di cioccolato.

L'asino volante

In riva al fiume, in una casupola di sassi, viveva una povera famiglia. Erano tanto poveri che non c'era mai da mangiare per tutti, e almeno uno doveva restare senza. I bambini domandavano al nonno:

– Perché non siamo ricchi? Quando diventeremo ricchi anche noi?

Il nonno rispondeva:

– Quando l'asino volerà.

I bambini ridevano. Però un pochino ci credevano. Ogni tanto andavano nella stalla, dove l'asino masticava la sua paglia, gli accarezzavano la pelle e gli dicevano:

– Speriamo che tu ti decida presto a volare.

La mattina, appena desti, correvano dall'asino:

– Volerai, oggi? Guarda che bella giornata, che bel cielo. È proprio il giorno adatto per volare.

Ma l'asino badava soltanto alla sua paglia.

Vennero forti piogge, il fiume ingrossò. L'argine cedette e l'acqua si rovesciò sulle campagne.

Quella povera gente dovette rifugiarsi sul tetto, e ci portarono anche l'asino, perché era tutta la loro ricchezza.

I bambini piangevano per la paura, e il nonno raccontò loro tante storie, e ogni tanto, per farli ridere, diceva all'asino:

– Stupidone, vedi in che guaio ci hai messi? Se tu sapessi volare, ci porteresti in salvo.

Li salvarono, invece, i pompieri con la loro motozattera

e li portarono all'asciutto. Ma l'asino non volle assolutamente salire. I bambini adesso piangevano per l'asino, e lo pregavano a mani giunte: – Vieni con noi, vieni con noi!

– Andiamo, – dissero i pompieri, – torneremo dopo per l'asino. Adesso c'è tanta gente da salvare. Un'alluvione cosí brutta non si è mai vista.

La motozattera si allontanò, e l'asino rimase sul tetto, piantato sui suoi quattro zoccoli, immobile.

E sapete come lo salvarono? Con l'elicottero! La bella farfalla a motore si fermò in cielo sopra la sua testa, ronzando. Un uomo si calò con una fune, e certo se ne intendeva anche di asini, perché lo legò per bene sotto la pancia. Poi l'elicottero ripartí.

E quei bambini, accampati sull'argine come soldati in guerra, videro arrivare il loro asino per via di cielo.

Balzarono in piedi, cominciarono a ridere e a saltare, e gridavano:

– Vola! Vola! Siamo ricchi!

Da tutto l'accampamento, a quelle grida, venne fuori gente a guardare e a domandare: – Cos'è successo? Cos'è capitato?

– Il nostro asino vola! – gridavano i bambini. – Ora siamo ricchi.

Qualcuno scuoteva la testa, ma molti sorridevano come se sulla distesa grigia dell'alluvione fosse spuntato il sole, e dicevano:

– Avete tanta vita davanti, che poveri non siete di sicuro.

Il funerale della volpe

Una volta le galline trovarono la volpe in mezzo al sentiero. Aveva gli occhi chiusi, la coda non si muoveva.

– È morta, è morta, – gridarono le galline. – Facciamole il funerale.

Difatti suonarono le campane a morto, si vestirono di nero e il gallo andò a scavare la fossa in fondo al prato.

Fu un bellissimo funerale e i pulcini portavano i fiori. Quando arrivarono vicino alla buca la volpe saltò fuori dalla cassa e mangiò tutte le galline.

La notizia volò di pollaio in pollaio. Ne parlò perfino la radio, ma la volpe non se ne preoccupò. Lasciò passare un po' di tempo, cambiò paese, si sdraiò in mezzo al sentiero e chiuse gli occhi.

Vennero le galline di quel paese e subito gridarono anche loro: – È morta, è morta! Facciamole il funerale.

Suonarono le campane, si vestirono di nero e il gallo andò a scavare la fossa in mezzo al granoturco.

Fu un bellissimo funerale e i pulcini cantavano che si sentivano in Francia.

Quando furono vicini alla buca, la volpe saltò fuori dalla cassa e si mangiò tutto il corteo.

La notizia volò di pollaio in pollaio e fece versare molte lagrime. Ne parlò anche la televisione, ma la volpe non si prese paura per nulla. Essa sapeva che le galline hanno poca memoria e campò tutta la vita facendo la morta. E chi farà come quelle galline vuol dire che non ha capito la storia.

Parte terza

Trovate l'errore

Una scuola grande come il mondo

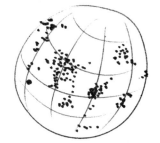

C'è una scuola grande come il mondo.
Ci insegnano maestri, professori,
avvocati, muratori,
televisori, giornali,
cartelli stradali,
il sole, i temporali, le stelle.

Ci sono lezioni facili
e lezioni difficili,
brutte, belle e cosí cosí.

Ci si impara a parlare, a giocare,
a dormire, a svegliarsi,
a voler bene e perfino
ad arrabbiarsi.

Ci sono esami tutti i momenti,
ma non ci sono ripetenti:
nessuno può fermarsi a dieci anni,
a quindici, a venti,
e riposare un pochino.

Di imparare non si finisce mai,
e quel che non si sa
è sempre piú importante
di quel che si sa già.

Questa scuola è il mondo intero
quanto è grosso:
apri gli occhi e anche tu sarai promosso.

La rondinella del Circo Zenith

I suoi genitori erano due famosi trapezisti del Circo Zenith e lui era nato, si può dire, tra le zampe degli elefanti e dei cavalli ammaestrati. Aveva fatto conoscenza con le tigri prima che con le galline, e giocato con un orso prima che con un gatto.

A tre anni ebbe una parte nel numero delle foche. Le foche si passavano la palla, con agili ed esatti colpi di muso, e in ultimo la passavano a lui, che si era andato a mettere in fondo alla fila; ma lui scappava e le foche lo rincorrevano abbaiando rauche per tutta l'arena.

Risate, applausi e qualche lagrimuccia salutavano il piccolo artista.

L'immensa tenda verde, e i carrozzoni variopinti che la circondavano, erano per lui tutto il mondo. La vita, uno spettacolo accompagnato dal frastuono festoso della banda.

Aveva quattro anni quando un nubifragio violentissimo squarciò e fece crollare il telone del circo, in un finimondo di lampi, tuoni, grida rabbiose di uomini e di animali.

Il temporale scoppiò poco prima dell'alba. Era il primo temporale dell'anno, l'annuncio della primavera, e il crosciare della pioggia fu salutato, da chi lo udí nelle cabine tiepide della carovana, quasi con allegria. Poi, improvviso e rapido, il disastro. Tutto non durò che una mezz'ora. Il sole si levò su un desolato panorama di rovine.

Lui non si era destato. Uscí buon ultimo dal carrozzone,

si guardò intorno e non capiva perché la gente del circo avesse quelle facce stravolte e quegli occhi rossi, non capiva perché gli accarezzassero in silenzio la testa spettinata. Soprattutto, poi, non poteva capire le conversazioni disperate. Il danno finanziario era gravissimo e capitava dopo una stagione non del tutto buona. Chissà se il vecchio proprietario del circo se la sarebbe sentita di ricominciare. Non era la prima volta che un circo era costretto a sciogliersi per le conseguenze di un temporale di primavera.

Dopo aver girovagato qua e là, confuso e silenzioso, il piccolo tornò sui suoi passi, verso il carrozzone celeste riservato alla sua famiglia; e già stava per metter piede sul primo gradino quando alzò gli occhi, per caso, e vide quella stranezza. Due rondini avevano cominciato a fabbricarsi il nido proprio lassú, sotto la breve gronda del carrozzone. Erano appena all'inizio del loro lavoro, e anche il giorno, del resto, era appena all'inizio. Indifferenti al disastro, indaffarate e precise, volavano in su e in giú, tra il tetto del carrozzone e il terreno intorno al circo, trasportavano ùn filo di paglia, un infimo truciolo, le cento piccole cose che la natura e l'istinto insegnavano loro a scegliersi come materiale per murare la loro casa. Il circo, con le sue stalle, i suoi depositi di foraggi, il suo pittoresco disordine di cose, doveva essere per loro una miniera inesauribile: bastavano pochi frullii d'ali per un fruttuoso viaggio. Volavano, tornavano, rivolavano subito via senza concedersi un attimo di riposo.

Il bambino non conosceva il segreto di quel lavorio: aveva visto leopardi e cammelli, lui, e mai rondini; non gli era mai capitato di accorgersi di quei piccoli buffi uccelli dalla coda spaccata. La domatrice delle foche aveva un pappagallo di cento colori, ma se ne stava sempre immobile sul suo trespolo, a predicare con arroganza cose incomprensibili. La danza instancabile delle due rondini era ben altra cosa. Ed era il suo carrozzone, quello. Era come se le rondini avessero saputo che lui ci abitava, e avessero deciso di andare ad abitare con lui. Non si accorse nemmeno che lo chiamavano; non si voltò. Se ne stava lí, col naso e il ciuffetto per aria, curioso e confuso, come per ascoltare un misterioso racconto, in una lingua sconosciuta.

– Ehi! Ti sei incantato?

Era la mamma che lo scuoteva per le spalle, con tenerezza. E subito dopo era anche il babbo, era il grasso *clown* del carrozzone accanto, erano i saltatori arabi, il domatore dei leoni, tutti ad additarsi le rondini che si facevano il nido sul carrozzone.

– Hanno scelto un bel giorno per unirsi a noi...

Prima con sorpresa, poi con commozione, la gente del circo si affollava intorno a quello spettacolo di buon augurio, e ne beveva avidamente con gli occhi la consolazione.

– Cosa sono? – domandò finalmente il bambino.

Cosí apprese che erano rondini, e seppe quel che facevano, e seppe che sarebbero rimaste per molto tempo con lui e con il circo. E a suo tempo le vide volare stridendo intorno al padiglione ricostruito e alle sue bandierine iridate. Imparò i primi «salti mortali» pressappoco negli stessi giorni in cui i rondinini nati nel nido imparavano a volare.

– Ha capito adesso, – mi disse il vecchio *clown*, sorridendo, – perché ho scelto quel nome d'arte?

Già, avevo dimenticato di avvertirvi che questa storia me l'ha raccontata il *clown* Rondinella del Circo Zenith.

La sirena di Palermo

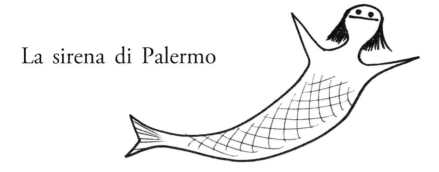

Una volta un pescatore di Palermo trovò nella rete, insieme ai pesci, una piccola sirena. Si spaventò, e stava per lasciar ricadere la rete in mare, ma si accorse che la sirena piangeva e non ne ebbe piú paura.

– Perché piangi? – le domandò.

– Ho perduto la mia mamma.

– E com'è successo?

– Giocavamo a nasconderci tra gli scogli. Mi sono allontanata troppo dalle mie compagne e non le ho piú ritrovate. Sono due giorni che nuoto in cerca di loro, in cerca di qualcuno, non conosco la strada per tornare a casa.

– Eh, il mare è grande! – disse il pescatore, sorridendo alla sirena. Era una sirena bambina, appena piú alta di una bambola. I suoi capelli biondi erano fradici. Dalla vita in giú le sue squame di pesce scintillavano al sole.

– Portami con te, – disse la sirena. – Io non so dove andare.

– Ti porterei, – rispose il pescatore. – Ma ho già cinque figli da mantenere, la casa è piccola e io guadagno poco.

– Portami con te, – pregò di nuovo la sirena bambina. – Io non occupo molto posto. Ti prometto che starò buona e non avrò quasi mai appetito.

– Sentiremo quando sarà mezzogiorno.

– Allora mi porti?

– Nasconditi in quella cesta. Non voglio che la gente ti veda.

– Sono brutta?

– Anzi, sei tanto bellina. Ma la gente trova sempre da ridire e da chiacchierare.

Cosí il pescatore portò a casa la sirena bambina. Sua moglie brontolò un poco, ma non troppo: la sirena era graziosa, i suoi occhi erano buoni e allegri. I bambini del pescatore erano addirittura felici.

– Finalmente ci hai portato una sorella, – dicevano. Erano cinque maschi e a metterli vicini le loro teste scure sembravano i gradini di una scala.

– Faremo cosí, – disse il pescatore, – le prenderemo una carrozzella, perché deve stare sempre seduta. Le metteremo davanti una coperta e diremo che ha le gambe malate. Diremo che è figlia di un parente di Messina, e che è venuta a stare un po' con noi.

E cosí fecero.

Il pescatore e la sua famiglia abitavano in un povero vicolo, in un quartiere di vicoli poveri e stretti. Le case erano brutte e la gente stava quasi sempre fuori. Nel vicolo, poi, c'erano tante bancarelle, vi si vendeva di tutto: pesci, formaggi, abiti usati, qualsiasi cosa. Di sera ogni bancarella accendeva un lume ad acetilene, e quella luminaria metteva addosso una festosa allegria.

La piccola sirena, seduta nella carrozzella fuori della porta di casa, non si stancava mai di quello spettacolo. Tutti la conoscevano, ormai. Ogni donna che passava, pensando alla sua malattia, si fermava a farle una carezza e le diceva una parola gentile. I giovanotti scherzavano con lei e fingevano di litigare tra loro per sposarla. I figli del pescatore non parlavano che di lei, erano molto orgogliosi della sua bellezza e le portavano le piccole meraviglie che riuscivano a trovare, vagando tutto il giorno per i vicoli: una scatola di cartone, un giocattolo di plastica, tante cose cosí.

La piccola sirena adesso si chiamava Marina.

Una sera la portarono a vedere il teatro dei pupi. Chi non l'ha visto non sa com'è bello. Sul palcoscenico del teatro i guerrieri, nelle armature splendenti, compiono imprese meravigliose, battendosi in duello con coraggio. Le principesse portano anche loro la corazza e la spada, e non sono meno ardimentose dei paladini. I loro nomi sono nobili e sonori: Orlando, Rinaldo, Carlomagno, Guidosanto, Angelica, Brandimarte, Biancofiore.

Marina era incantata e felice. Quando poi fu l'ora di andare a letto, cominciò anch'essa a raccontare. Sapeva storie meravigliose, le aveva imparate quando viveva nel mare con le altre sirene. Per esempio, sapeva la storia di Ulisse e dei suoi viaggi, e di quella volta che passò con la sua nave accanto all'isola delle sirene. Chi udiva il canto delle sirene subito si gettava in mare per rimanere con loro. Ulisse voleva udire quel canto, ma non voleva dimenticare e perdere la strada di casa. E così l'astuto capitano riempí di cera le orecchie dei suoi marinai, perché badassero alla nave, ma nelle proprie orecchie non mise nulla: poi si fece legare all'albero maestro, per non provare la tentazione di gettarsi in mare. Le sirene gli cantarono le loro canzoni piú belle ed egli pianse ascoltandole, pregò i suoi compagni di scioglierlo. Ma i suoi compagni avevano le orecchie tappate, non udivano e non capivano nulla.

Da quella volta Marina non cessò mai di raccontare. Erano storie di tutti i popoli e di tutti i tempi; delle genti che l'una dopo l'altra avevano messo piede sulla terra siciliana o ne avevano corso il mare: Fenici, Cartaginesi, Greci, Romani, Arabi, Normanni, Francesi, Spagnoli, Italiani... E storie di pesci, di mostri sepolti negli abissi marini, di navi affondate e spolpate lentamente dall'acqua.

Intorno alla sua carrozzella, nel povero vicolo, c'era sempre un crocchio di bambini. Sedevano silenziosi sui gradini della casa del pescatore, si accoccolavano sul selciato, spalancavano i loro occhi di carbone e di diamante, e non erano mai stanchi di ascoltare.

Ogni donna che passava si fermava un momento, e quando andava via si asciugava una lagrima.

– Quella bambina è una sirena, – dicevano i vecchi pescatori. – Guardate come ha incantato tutti. È proprio una sirena.

Piú nessuno, ormai pensava a lei come a una povera bambina infelice perché non poteva camminare. La sua voce era chiara e squillante, e nei suoi occhi c'era sempre una luce di festa.

La bora e il ragioniere

È facile incontrare a Trieste, negli uffici delle compagnie di navigazione, certi signori piccoli e secchi che passano la vita a incolonnare cifre e a tenere in ordine la corrispondenza con Nuova York, Sidney, Liverpool, Odessa, Singapore. Gli si può rivolgere la parola in cinque o sei lingue a scelta – l'italiano, il tedesco, l'inglese, lo sloveno, il croato, l'ungherese – e loro saltano da una lingua all'altra con la facilità con cui un uccellino salta da un ramo all'altro del suo stesso albero. Hanno mogli alte, bionde e bellissime, perché a Trieste le donne sono tutte belle. Hanno figli alti e robusti che vanno in palestra, sono campioni di canottaggio, studiano fisica nucleare, eccetera. Ma loro sono piccoli e secchi, chissà perché. Chissà poi se sono proprio tutti piccoli e secchi. Forse li pensiamo cosí perché ci ricordiamo del ragionier Francesco Giuseppe Franza, il famoso ragionier Franza, che la bora – quando soffiava piú forte – se lo portava via.

La bora, quel gran vento di Trieste piú impetuoso e veloce di un treno rapido in piena corsa.

E Francesco Giuseppe. (A proposito, non l'avevano mica chiamato cosí in onore del vecchio imperatore d'Austria, ma perché aveva un nonno che si chiamava Francesco e un altro che si chiamava Giuseppe.) Dunque questo signore, quando era un bambino e andava a scuola, pesava sí e no quanto un gatto. Nei giorni di bora, prima di mandarlo in giro nel vasto mondo, la mamma gli faceva mille raccomandazioni e gli metteva un mattone nella cartella, perché il vento non se lo portasse via, chissà dove.

Una mattina del 1915 lo scolaro piú leggero di Trieste se ne andava per l'appunto a scuola, carico di libri e di mattoni, quando un gendarme austriaco gli puntò addosso un dito minaccioso, accusandolo di manifestazione sovversiva.

Francesco Giuseppe aveva indosso un cappotto verde, una sciarpa rossa e un berretto di lana bianca, e se ne andava per la strada, tutto solo, come una bandierina italiana scappata da un cassetto per turbare l'ordine pubblico dell'Impero Austro-Ungarico.

Francesco Giuseppe portava già allora gli occhiali, perché era un po' miope, ma il dito di un gendarme sapeva distinguerlo tra migliaia di dita.

Per lo spavento mollò ad un tratto la cartella. Se un pallone aerostatico avesse mollato tutto in una volta gli ormeggi e la zavorra non si sarebbe sollevato piú rapidamente. Privo dei prudenti contrappesi materni, Francesco Giuseppe si staccò dal suolo e la bora lo soffiò in alto come una piuma.

Un istante dopo la piccola bandiera italiana sventolava aggrappata alla cima di un lampione.

– Scendi! – gridava l'Impero Austro-Ungarico.

– Non posso, – esclamava Francesco Giuseppe.

Non poteva. È difficile arrampicarsi in salita, ma arrampicarsi in discesa, col vento contrario, può essere anche piú difficile.

Una piccola folla si raccolse ben presto nelle vicinanze e molti buoni triestini fingevano allegramente di sgridare il perturbatore della quiete.

– Monellaccio, ubbidisci alla signora guardia.

– Eh! I ragazzi d'oggi, non hanno piú rispetto per le autorità.

164

Il gendarme si allontanò in cerca di rinforzi. Un salumiere uscí dalla sua bottega con una scala, un facchino del porto salí a prendere Francesco Giuseppe e lo portò giú di peso. Il ragazzo raccattò la cartella e corse via, accompagnato da applausi e risate.

Passarono gli anni, i lustri e i decenni. Francesco Giuseppe era diventato un impiegato modello, incolonnava cifre, scriveva lettere a Bangkok, accompagnava la sua bellissima signora ai concerti e i suoi figli in palestra. Ma nei giorni di bora, un po' sul serio, un po' per nostalgia della mamma, metteva ancora nella sua cartella quel vecchio mattone, sempre quello.

Una mattina del 1957 – una mattina di bora – un cane lo urtò mentre camminava a fatica, controvento. La cartella gli cadde su un piede. Dentro c'era il mattone, ma il ragionier Francesco Giuseppe non fece in tempo a provare dolore, perché già volava, già scavalcava i tetti dei magazzini, il fumo dei rimorchiatori, i mercantili all'ancora nel porto, per finire aggrappato al fumaiolo di una nave in partenza per l'Australia.

A scendere non s'arrischiava, per aria non guardava nessuno. Lo scopersero, stanco e affamato, quando già la nave lasciava le acque dell'Adriatico per quelle dello Jonio.

– Capitano, un clandestino!

– Perbacco, dovremo portarcelo fino ad Alessandria d'Egitto... non possiamo mica tornare indietro per lui.

Il ragionier Francesco Giuseppe, sulle prime, si ribellò alla qualifica di «clandestino». Parlò della bora, del mattone e del cane, ma quando si accorse che il capitano era disposto a cambiare parere solo per considerarlo uno squilibrato, tacque del tutto.

Da Alessandria telegrafò alla famiglia e alla compagnia e si fece rimpatriare.

Naturalmente, nemmeno a Trieste gli credettero.

– Portato via dalla bora? Ma fate il piacere. Ditemi che un asino ha volato, piuttosto, e ci crederò.

– Rifacciamo l'esperimento, – proponeva il ragioniere. – Vi mostrerò com'è accaduto.

Quando la sua signora gli propose, invece, di farsi visitare da un dottore, decise di non insistere piú per essere creduto.

– Pazienza, – si disse. – Peggio per loro. Sarà il mio segreto.

E lo è ancora. Ogni volta che arriva la bora, Francesco Giuseppe fa cosí: lascia passare un giorno o due senza far nulla di strano, perché nessuno s'insospettisca, poi chiede un pomeriggio di permesso, va sulle colline e vola.

E per volare, ecco come fa: si riempie le tasche di sassi, si lega una fune alla vita e attacca la fune a un albero; poi getta pian piano la zavorra e si solleva, si innalza fin dove la fune glielo permette, e rimane lassú tutto il tempo che gli piace, se la bora non cessa. Che fa lassú?

Si guarda intorno, si diverte a incuriosire gli uccelli, qualche volta apre un libro e legge. Di preferenza legge le poesie di Umberto Saba, un grande poeta triestino morto pochi anni or sono. Forse la cosa vi stupirà, ma non dovrebbe. Perché un ragioniere non dovrebbe amare le poesie? Perché un uomo comune, uguale a tanti altri, non dovrebbe avere un suo prezioso segreto?

Non giudicate mai gli uomini dal loro aspetto, dalla loro professione, dallo stato della loro giacca. Ogni uomo può fare cose straordinarie: molti non le fanno soltanto perché non sanno di poterle fare, o perché non sanno liberarsi in tempo del loro mattone.

Il tenore proibito

Un giorno, a Verona, andai a sedermi sulle gradinate dell'Arena romana. Quand'è la stagione, e vi rappresentano le opere di Verdi o di Wagner, su quelle gradinate si mettono a sedere ventiduemila persone. Quel giorno c'erano (era un pomeriggio di sole) ventunmilanovecentonovantanove posti vuoti e un solo posto occupato: il mio. Tutta l'Arena era per me. Venti secoli di storia mi giravano intorno. Tendendo l'orecchio sentivo quasi scalpitare il cavallo di Teodorico. Quello della poesia di Giosuè Carducci:

> *Teodorico di Verona*
> *dove vai tanto di fretta?*
> *Tornerem, sacra corona,*
> *alla casa che ci aspetta?...*

Tendendo meglio l'orecchio, udii qualcosa di mezzo tra un sospiro e un singhiozzo alle mie spalle. Mi voltai vivacemente. Qualcuno si era venuto a sedere due file piú in alto, mentre io mi beavo della mia solitudine. Anche seduto, pareva immenso. Se si fosse alzato, avrebbe oscurato il sole.

Insomma, una specie di gigante, alto piú di due metri, barbuto come un guerriero medievale, imponente come un castello. E piangeva. Vedevo le sue spalle sussultare, vedevo le lagrime scorrergli giú per la barba bionda.

– Si sente male? Ha bisogno di qualcosa? – gli domandai, accostandomi a lui.

Egli mi guardò senza vedermi, e per lunghi minuti non mi rispose. Poi disse: – Sono trent'anni che sto male, ma lei non può fare nulla per me.

– Mi dispiace.

– A me dispiace anche di piú.

Tanto per cercare di distrarlo, mi misi a raccontargli le mie impressioni di una lontana sera, in cui avevo assistito, proprio all'Arena di Verona, alla rappresentazione del *Barbiere di Siviglia*. Ahimè! Fu come versare del sale su una piaga aperta. Il gigante balzò in piedi, urlando:

– Basta, basta!

Pochi secondi dopo gli rispose di lontano un sordo boato.

– Ecco, – egli mormorò, – e tutto per colpa sua.

– Per colpa mia *che cosa*, scusi tanto?

– Lo avrà sentito quel boato.

– E con ciò? Avranno fatto esplodere una mina da qualche parte.

– Non si illuda, – mi disse il gigante, scrollando tristemente il capo. – Sono pronto a giurare che domani, sui giornali, leggeremo la notizia di qualche crollo. Spero soltanto che non sia crollato un ponte. Vi sono poche cose al mondo, belle come i ponti sull'Adige a Verona.

– Su questo mi dichiaro d'accordo con lei. Nella sventurata ipotesi di un crollo, però, non vedo quali potrebbero essere le mie responsabilità.

– Io sí. Lei mi ha tormentato, ed io, senza potermi piú controllare, le ho risposto con un grido. Quel grido...

– Quel grido?

Il gigante rimase un momento silenzioso, poi mi allungò una mano e disse: – Permette? Aristofane Lanciadoro, tenore proibito.

– Proibito?

– Purtroppo, signore. Io sono, al di là di ogni dubbio, il miglior tenore del mondo, signore. Ma il destino mi condanna a rimanere muto. Ecco perché, quasi ogni giorno, vengo qui a piangere, in questa Arena che avrebbe potuto rappresentare per me la gloria. Lei deve sapere che la natura mi ha dotato di una voce meravigliosa, ma troppo forte. Un giorno, potevo avere dieci anni, mi spaventai alla vista di uno scorpione e gridai: «Mamma!» Signore, in quel preciso istante la nostra casetta scoppiò come un mortaretto, e solo per un miracolo mia madre poté essere estratta dalle macerie.

Tacque, guardando nel vuoto. Forse vedeva ancora il polverone di quel crollo lontano.

– A quindici anni cominciai lo studio del canto. Il primo giorno i miei acuti fracassarono il pianoforte del mio maestro e tutti i vetri della contrada. Il secondo giorno intervennero le autorità. Studiavo a Pisa, signore. Pare che la potenza della mia voce avesse inferto una pericolosa inclinazione alla famosa torre, già di per se stessa pendente. Insomma, se non volevo privare la Toscana e l'Italia di uno dei loro monumenti piú insigni, dovevo allontanarmi, o promettere di cantare con un fazzoletto in bocca.

Tacque di nuovo, rabbrividendo. Confesso che anch'io tremai al pensiero della perdita irreparabile per l'arte italiana, se il campanile di Pisa avesse ricevuto qualche altra spintarella dalla voce di Aristofane Lanciadoro.

– Adottando infinite cautele, – egli proseguí, – riuscii a cantare alla Scala di Milano. Una sola volta, però. E per pochissimi minuti. Conosce il *Rigoletto* di Giuseppe Verdi?

Facevo la parte del Duca di Mantova. Quando attaccai la famosissima aria che fa: «La donna è mobile – qual piuma al vento...» si udí un sinistro scricchiolio...

– Crollavano i palchi?

– No, signore. Avevo avuto la precauzione di mandare la voce in direzione di una finestra aperta. Risultato: tredici guglie del Duomo incrinate. I milanesi volevano lapidarmi sulla pubblica piazza. Poi, venne la grande idea: dovevo cantare all'aperto, in un luogo abbastanza ampio, dove la mia voce potesse espandersi senza pericoli. L'Arena, signore. L'Arena di Verona.

Si guardò intorno, asciugandosi le lagrime.

– Qui, signore, nel Millenovecentoquaran... ma la data non importa. Fu una grande «Aida», amico mio. La piú grande «Aida» che sia mai stata allestita fino all'ultimo atto, fino all'ultima scena. Mandavo la voce in direzione delle stelle, per essere sicuro di non causare danno alle persone e alle cose. Si udí, di quando in quando, un boato lontano. Ma solo il giorno dopo si seppe che cosa era accaduto...

– Per carità, che cosa?

– Le Dolomiti, amico mio. In linea d'aria le Dolomiti non sono tanto lontano di qui. Quella notte, lassú, ci fu il finimondo. Ha presenti le cime del Latemar, sopra il lago di Carezza? Ricorda le tre cime di Lavaredo? Le Torri di Sella? Un disastro. Decine e decine di picchi rocciosi vennero giú come candele sciolte dal sole. Le «sorelle di Vaiolet» erano cinque: ora sono soltanto tre. Il Catinaccio ridotto come un colabrodo. Se avessi cantato ancora un paio di sere, il paesaggio dolomitico si sarebbe trasformato come per effetto di un cataclisma cosmico. Per la salvezza delle Alpi, dovevo tacere. E ho taciuto. Da allora, signore mio, non ho cantato mai piú. Amo troppo l'Italia, per guastarne le bellezze.

E qui Aristofane Lanciadoro, buttando per terra il fazzoletto, si abbandonò disperatamente ai singhiozzi. Che fare? Che cosa tentare per salvarlo, per ridargli fiducia nella vita? Ma certo! I satelliti artificiali! Ecco quel che ci voleva. Che stupido, a non averci pensato prima.

Il resto lo sapete anche voi. Prossimamente il grande tenore Aristofane Lanciadoro verrà lanciato intorno alla Terra a bordo di un satellite artificiale: canterà di lassú, e lo sentiranno in tutto il mondo. Da quella distanza egli non potrà far crollare né i ponti sull'Adige né i grattacieli di Nuova York.

Un girotondo di note limpide e melodiose circonderà il nostro vecchio globo e gli canterà la ninna-nanna.

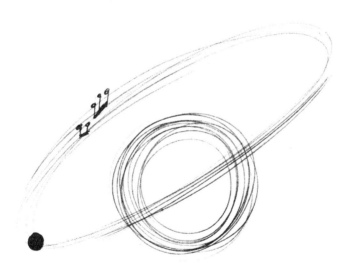

Canzone alla rovescia

Il nonno
Conosco una canzone alla rovescia
e alla rovescia la voglio cantare:
una foca volò sul Monte Bianco
e una giraffa camminò per mare.

Il nipote
O nonno, raddrizzate
la vecchia canzone:
la giraffa viaggiava su una nave,
la foca su un aereo a reazione.

Il nonno
Conosco una canzone alla rovescia
e alla rovescia ve la voglio dire:
ho visto seminare sulle nuvole
e sulle nuvole il fiore fiorire.

Il nipote
O nonno, raddrizzate
anche questa canzone:
il fiore era una rosa, su uno sputnik partí,
ben piú in alto delle nuvole fiorí.

Incontro sul ponte

Una notte a Pavia, mi capitò di attraversare il ponte coperto, e fu giusto a metà ponte che incontrai quello straordinario turista. Dico turista perché mi rivolse la parola
in francese, e in quella lingua mi sforzai di rispondergli,
sbagliando qualche verbo e qualche plurale. Non esistono
leggi che proibiscono ai turisti di smarrire la strada sul ponte coperto di Pavia.

Dico però che si trattava di un turista straordinario, perché quando mi ebbe fatto voltare con un discreto «psst,
psst», e lo vidi, seminascosto dietro una colonna, non potei
trattenere un «oh!» di meraviglia. Portava un costume del
Cinquecento, ma un costume da pezzo grosso, una scicche-
ria che avrebbe fatto la sua bella figura anche alla corte del
Re Sole o nel romanzo dei Tre Moschettieri. Non esistono
leggi che proibiscano ai turisti francesi di aggirarsi di notte,
sul ponte coperto di Pavia, in costume da D'Artagnan o da
Gran Ciambellano. Lí per lí pensai che quel signore, dopo
aver partecipato a un ballo mascherato, avesse deciso di rincasare a piedi e, giunto in mezzo al ponte, avendo forse be-
vuto un po' troppo, non sapesse decidere se scendere sulla
riva destra o sulla riva sinistra del Ticino.

– Dove abitate? – gli domandai. (Come sapete in francese si dà del «voi» e si ha sempre l'impressione di rivolgere
le domande a una folla.)

– A casa mia, – mi rispose con un moto di stizza, evidentemente perché voleva essere lui a fare le domande.

– Questo è lapalissiano, – osservai.

Se gli avessi detto: «Guardi quel marziano che sta volando con un ombrello», non avrei ottenuto un effetto maggiore: il turista moschettiere pareva colpito dalla folgore. Spalancava la bocca, la richiudeva, tornava ad aprirla nel tentativo di cacciar fuori una parola, ma non ci riusciva. Temetti che le parole gli restassero in gola e lo soffocassero; perciò gli battei qualche colpo sulla schiena, come si fa quando uno ha un accesso di tosse. Finalmente poté balbettare: – Come avete detto?

– Io? Vi ho semplicemente chiesto dove abitate.

– Sí; ma poi vi ho risposto che abito a casa mia, e a questo punto voi avete pronunciato una strana parola.

– Ah, già! Ho detto «ma è lapalissiano». È un'espressione corrente, per dire che una cosa è evidente, talmente chiara che solo uno stupido potrebbe metterla in dubbio. Debbo confessare che non capisco la vostra sorpresa: non vi ho mica minacciato di morte.

– Mi sapreste spiegare perché si dice «lapalissiano»? S'intende che se non lo sapete non siete tenuto a spiegarmelo.

– Anche questo mi sembra un buon esempio di logica lapalissiana: se non lo so, significa che lo ignoro.

– Per l'appunto.

– Però lo so. Mi stupisce che non lo sappiate voi, che siete francese. Tutto ha origine, infatti, da un'antichissima canzoncina popolare francese, che ora mi permetterò di cantarvi, sebbene purtroppo io sia alquanto stonato:

> *Monsieur de La Palisse est mort,*
> *il est mort devant Pavie:*
> *un quart d'heure avant sa mort*
> *il était encore en vie...*

(Traduzione libera: È morto il signor di La Palisse, è

morto alla battaglia di Pavia, un quarto d'ora prima che morisse, la vita ancor non gli era andata via...)

– Comprendete? – proseguii. – Un quarto d'ora prima di morire non solo il signor di La Palisse, ma anche Giulio Cesare, Napoleone Bonaparte e altri famosi personaggi storici erano «ancora vivi». Oso dire che anch'io, nel mio piccolo, sarò vivo fino al momento in cui morirò. Ma che fate, signore, piangete?

– Cosí è, caro amico: e come potete vedere, ogni volta che piango mi escono le lagrime dagli occhi.

– Veramente?

– Sono fatto cosí, e non c'è rimedio. Se fossi fatto in altro modo sarei diverso.

– Straordinario! Ed eravate cosí anche da piccolo?

– Purtroppo. Però ero molto ben educato: non mi levavo mai il cappello senza scoprirmi la testa, e quando avevo la bocca chiusa non parlavo, specialmente in presenza di estranei. Poi crebbi, ma conservai le buone abitudini: e quando ero in campagna era inutile cercarmi a Parigi.

– Strano; ma sapete cosa vi dico? Il vostro linguaggio è il piú «lapalissiano» che mi sia mai capitato di ascoltare.

– Per forza, amico mio; *il signor di La Palisse* sono io. Permettete che mi presenti? Jacques II Chabannes de La Palisse, Maresciallo di Francia, morto alla testa dei Francesi alla battaglia di Pavia, nel 1525.

– Morto?

Lo guardai attentamente. Un fantasma, dunque. Il fantasma di un celebre condottiero del Cinquecento. Altro che ballo mascherato.

– Scusate, – dissi, facendo un passo indietro. – È molto tardi e mi aspettano a casa.

– Vedo che anche voi quando ve ne andate non rimanete, – osservò tristemente il signor di La Palisse.

– Non so in che cosa potrei esservi utile, – balbettai.
– Forse un funerale?

– Mi siete già stato molto utile. Ho compreso finalmente
che cosa mi costringe a vagare nei dintorni di Pavia, e dentro le mura della città medesima.

– Ve l'ho detto io?

– Senza volerlo, sí. Vedete, signore? Per la storia io sono
morto piú di quattro secoli or sono. La Francia dopo di
me, ha avuto condottieri assai piú famosi, e mi ha dimenticato. Che cosa resta di me? Una canzonetta e un aggettivo
qualificativo: *lapalissiano*. Ma anche l'aggettivo ha origine
dalla canzonetta. Fin che esisterà Pavia e fin che esisterà
qualcuno in grado di ripetere quella canzonetta, io sono
legato per sempre a questi luoghi in cui, un quarto d'ora
prima di morire, ero ancora vivo.

– Non conoscevate né la canzone né l'aggettivo?

– No, caro amico. Voi siete il primo ad avermene parlato, e da ciò potete agevolmente dedurre che nessuno me
ne ha parlato prima di voi. Mi consolo, però. Il mio nome,
almeno, non è morto del tutto. Conosco personaggi piú
infelici di me. Per esempio, un famoso re che gridò nel
bel mezzo di una famosa battaglia, la famosa frase: «Il mio
regno per un cavallo».

– Ah, sí! Conosco, conosco.

– Conoscete il nome di quel re?

– No, ma conosco la frase.

– Ecco, vedete? Tutti ricordano la frase, ma pochissimi il
re che l'ha pronunciata. Non vi dico la sua tristezza.

– Capisco. Ma, perdonate la mia curiosità: vi succede
spesso di conversare con qualcuno, pavese o di passaggio?

– Molto di rado, signore.

– Come mai?

– Generalmente non mi vedono, signore.

– Ma perché?

– Perché non mi guardano.

Anche questa risposta mi parve molto lapalissiana. Chinai il capo per riflettere un momento, e quando lo rialzai il signor di La Palisse era scomparso. Sempre corretto ed educatissimo, quando scompariva non era piú possibile vederlo.

Incontro con i maghi

Mi chiamo Oscar Bestetti, sono di Bologna e faccio il rappresentante di commercio. Sempre su e giú per l'Italia con la mia macchina e il campionario della merce da mostrare ai clienti. Avanti, fatemi delle domande. Volete sapere quanti passaggi a livello ci sono sulla via Aurelia tra Grosseto e Follonica? Quante sono le curve della via Cassia da Viterbo a Siena? So tutto sulle strade della penisola.

Qualche volta mi capita di dare un passaggio a un autostoppista. C'è sempre qualcuno, fermo sul ciglio della strada, a fare quel tale gesto col pollice: ormai l'hanno imparato anche le donnette che vanno in città a portare le uova fresche. Con l'autostop risparmiano i soldi della corriera. Se ho posto, e se non ho fretta, mi piace prender su gente: si fanno due chiacchiere, il tempo passa prima, s'imparano tante cose. L'altr'anno in luglio, dalle parti di Viareggio, mi fermano due giovanotti.

– Non va mica verso Torino?

– Vado proprio a Torino. Salite pure.

E montano su, con i loro zaini. Due bravi giovanotti, due operai torinesi che avevano fatto le ferie al mare e tornavano a casa con l'autostop. Allegri, di compagnia. Uno si chiamava Berto, l'altro Giulio. Ma questo è niente. A un certo punto, chiacchiera, chiacchiera, la benzina è finita. Non mi ero nemmeno accorto di stare in riserva. Il motore tossicchia, brontola, sputa, poi fa silenzio del tutto e la macchina si ferma.

– Ahi, ahi! – dico io. – Lo sapete cosa c'è di nuovo? Che al prossimo distributore mancano dieci chilometri, tutti di mille metri ciascuno.

– Niente paura, – ride Berto. O forse era Giulio. Be', insomma, ridono tutti e due.

– Siamo o non siamo torinesi? – dicono. – E siamo anche meccanici qualificati. Per noi le macchine non hanno segreti.

– Non è questione di meccanica e di segreti, – mi provo a ribattere. – Non ho una goccia di benzina nemmeno nell'accendisigari.

– Un tubo di gomma ce l'ha?

– Ce l'ho sí; ma la mia macchina non va mica a tubi.

– Faccia un po' vedere. Sí, sí, è proprio quello che ci vuole.

Berto prende il tubo, scende dalla macchina, armeggia intorno al serbatoio. Giulio, rimasto in macchina, continua a sorridere.

– Ma cosa fa? – domando io.

– Lo lasci fare. La benzina è la sua specialità.

Berto si china sul bordo della strada, sceglie con cura un papavero dopo averne strappati una decina; infila il papavero nel tubo, e subito si sente un simpatico gorgoglio, e un consolante profumo di benzina si spande nell'aria.

Si fa il pieno in pochi secondi. Si riparte. Io, per la sorpresa, ho gli occhi fuori dalla testa e non riesco a spiccicare una parola.

– Ha visto? – osserva Giulio. – Roba da niente. Noi di automobili ce ne intendiamo, sa?

Io sempre zitto. E intanto, per poco, non vado a sbattere contro le stanghe di un passaggio a livello. Torno in me, schiaccio il pedale del freno...

– Ma no! – esclama Giulio ridendo. – Non sarà mica matto?

E senza dire né uno né due, allunga un piede lui, e schiaccia l'acceleratore.

– Aiuto! – grido io. E chiudo gli occhi per non vedere, in attesa dell'urto. Macché. Niente urto. Riapro gli occhi: la macchina sta sollevando dolcemente il muso del cofano, ondeggia senza rallentare sopra il passaggio a livello, anzi! *sopra un treno merci* che sta transitando a gran velocità, scende dall'altra parte, rimette le gomme sull'asfalto, continua a scivolar via come niente fosse.

I due giovanotti, senza dare la minima importanza alla cosa, cominciano a parlare di una certa trattoria torinese, in collina, dove si mangiano i migliori funghi del sistema solare.

– Ma come... – balbetto, cercando di riportare il discorso sul passaggio a livello, – che roba sarebbe... Cioè, voglio dire... Insomma!

I due giovanotti mi guardano preoccupati.

– Le è andato qualcosa per traverso? Vuole una caramella?

– Vuole un giànduiotto?

– Macché gianduiotto! Spiegatemi piuttosto le vostre stregonerie!

I due giovanotti mi guardano sempre piú preoccupati.

– Piano con le parole, neh? – dice Berto. (Ma forse era Giulio, o forse tutti e due.) – Piano. Siamo due operai per bene, cosa crede? Sapremmo montare un'automobile con le mani legate e gli occhi bendati, questo sí. Ma questo glielo abbiamo già detto.

Rinuncio alla discussione. Ormai, passata Genova, passati gli Appennini, corriamo verso Torino, in un lungo tramonto.

Per un po' stiamo zitti tutti e tre. Poi Giulio, certo per fare la pace, suggerisce: – Sentiamo un po' di musica?

– Mi dispiace, – dico io, – non ho la radio.

– Se è solo per questo...

Schiaccia in una certa maniera la levetta del tergicristallo. Che ne so in qual maniera? Fatto sta che il tergicristallo rimane fermo, ma la macchina si riempie di una musica allegra; Giulio e Berto si scambiano robuste manate sulle spalle e giurano che appena a Torino andranno a ballare, in un certo posto, vicino al Po.

– Io non...

– Ah! Non ricominciamo, neh? Non le va proprio bene niente, a lei. Si metta bene in testa questo: che non c'è niente d'impossibile per un bravo meccanico torinese. Ha capito?

Plaff! Ploff ploff, ploff! Una gomma a terra.

Con un sospirone mi accingo a levare il crik dal portabagagli per cambiare la ruota. Non faccio in tempo a voltarmi che la gomma era tornata dura come un sasso. Giulio si sta mettendo la matita nel taschino. Volete scommettere che ha gonfiato la gomma con la matita?

Insomma, io non sapevo più se avevo dato un passaggio a due operai o a due maghi. E pensare che di gente come loro, a Torino, ce n'è a decine di migliaia...

Il cielo è di tutti

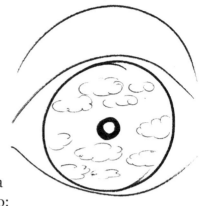

Qualcuno che la sa lunga
mi spieghi questo mistero:
il cielo è di tutti gli occhi,
di ogni occhio è il cielo intero.

È mio, quando lo guardo.
È del vecchio, del bambino,
del re, dell'ortolano,
del poeta, dello spazzino.

Non c'è povero tanto povero
che non ne sia il padrone.
Il coniglio spaurito
ne ha quanto il leone.

Il cielo è di tutti gli occhi,
ed ogni occhio, se vuole,
si prende la luna intera,
le stelle comete, il sole.

Ogni occhio si prende ogni cosa
e non manca mai niente:
chi guarda il cielo per ultimo
non lo trova meno splendente.

Spiegatemi voi dunque,
in prosa od in versetti,
perché il cielo è uno solo
e la terra è tutta a pezzetti.

Guidoberto e gli Etruschi

Tanti e tanti anni fa il professor Guidoberto Domiziani si lasciò crescere una bella barbetta nera e andò in gita a Perugia. Non voglio insinuare che senza barba non se la sarebbe sentita di compiere quella visita alla città che – come dicono le guide – «fu già una potente lucumonia etrusca». Voglio dire che l'idea della barbetta e l'idea della passeggiata sbocciarono nello stesso anno. E da quell'anno, anzi, dal giorno in cui Guidoberto passò sotto l'arco etrusco, detto pure Arco di Augusto, la sua barba e la città di Perugia non si divisero mai piú.

Bisogna sapere che Guidoberto amava alla follia... gli Etruschi. Fra tutti gli avvenimenti, i popoli e gli indovinelli della storia solo gli Etruschi avevano il potere di mettergli il cervello in ebollizione: chi erano? Di dove erano venuti in Italia? E soprattutto: che razza e che diavolo di lingua parlavano?

Bisogna sapere anche questo: che la lingua degli Etruschi ha resistito agli assalti dei millenni e degli scienziati di tutto il mondo, come una fortezza inespugnabile. Nessuno l'ha ancora decifrata, nessuno ne capisce una parola.

Pare che gli Etruschi si siano vendicati cosí: – Ci avete distrutti? Va bene. I Romani hanno occupato e latinizzato tutte le nostre città? Benissimo. Però faremo in modo che nessuno possa mai occuparsi degli Etruschi senza farsi venire il mal di testa e l'esaurimento nervoso.

Quel giorno Guidoberto capitò al Museo Etrusco-Romano: si centellinò le sale ad una ad una, come un ghiottone si centellina il suo liquore per farlo durare. Il colpo di fulmine scoccò quando egli si trovò davanti al famosissimo «cippo» di travertino, sul quale è incisa la celeberrima «iscrizione etrusca»: poche righe su cui centinaia di studiosi di prima forza si sono consumati il cervello; un rompicapo davanti al quale i migliori enigmisti e solutori di rebus e parole incrociate rabbrividiscono.

Vedere il «cippo» e innamorarsene fu per Guidoberto un punto. Sfiorarlo con mano reverente e decidere, anzi, giurare di capire che cosa c'era scritto, fu una cosa sola.

Gli «etruscologi» – ossia quelli che studiano le cose etrusche – sono fatti cosí. Il professor Guidoberto Domiziani, andato a Perugia per un giorno, ci rimase tutta la vita. Passava i giorni feriali, dalle 9 alle 12 e dalle 15 alle 17 (tale era l'orario del Museo) davanti al suo amato cippo in contemplazione.

Una mattina, mentre rifletteva sulla parola «Rasenna», sforzandosi di capire se significava «popolo», «uomini», o magari «balconi fioriti», si sentí interpellare in una lingua che non conosceva. Un giovane olandese bisognoso di lumi gli aveva rivolto una misteriosa domanda. Guidoberto provò invano a fargliela ripetere in tedesco, in inglese o in francese: si vede che lui e il giovanotto avevano studiato quelle lingue da due professori differenti perché s'intendevano come un coccodrillo e un ferro da stiro.

Il giovane appariva visibilmente ansioso di imparare qualcosa intorno agli Etruschi. Guidoberto era addirittura ansiosissimo di comunicargli tutto il suo sapere. Che fare? Non gli rimaneva che studiare l'olandese. Cosa che egli fece, nei ritagli di tempo, quando il «cippo» non lo assorbiva completamente. In poche settimane la grammatica e il vocabolario dei Paesi Bassi non avevano piú segreti per lui, e il giovane olandese – uno studente della famosa Università per stranieri che ha sede a Perugia – giurava che avrebbe dedicato la sua vita agli Etruschi: almeno per metà, riservando l'altra metà all'Olanda.

L'anno seguente il professor Guidoberto (sempre nei ritagli di tempo) fu costretto a imparare lo svedese, il finlandese, il serbocroato, il portoghese e il giapponese. A tali nazionalità appartenevano gli studenti stranieri piú sensibili degli altri alla questione etrusca, e Guidoberto doveva per forza studiare la loro lingua se voleva essere sicuro che afferrassero il vero nocciolo della questione: cioè, che la lingua etrusca era un formidabile mistero e chi pretendeva di capirci una parola aveva diritto a un biglietto gratis per il manicomio.

Nel rapido volare di cinque anni il professor Guidoberto, senza rubare un solo minuto alla contemplazione del «cippo», imparò il turco, il russo, il cecoslovacco, l'arabo e una dozzina di lingue e dialetti del Medio Oriente e dell'Africa Nera. Perché ormai a Perugia gli studenti arrivavano anche di laggiú e in giro per la città si udivano parlare tutte le favelle del mondo.

Tanto che una volta un persiano disse ad un altro (ma questi erano turisti, non studenti): – Sembra di essere nella Torre di Babele.

– Errore, – rispose prontamente il professor Guidoberto, che si trovava a passare. Naturalmente rispose in purissimo persiano. – Perugia, cari signori, è esattamente il contrario della Torre di Babele. Laggiú avvenne la confusione delle lingue, e nessuno fu piú capace di intendere il fratello, il vicino di casa, l'esattore delle tasse. Qui avviene l'opposto: si viene da tutte le parti del mondo e ci si capisce benissimo. La nostra Università per stranieri è l'immagine, se loro mi permettono, di un mondo migliore, nel quale tutti i popoli saranno amici.

I due turisti, nell'udire pronunciare da un italiano quel lunghissimo discorso nella loro lingua materna, senza il minimo errore, furono lí lí per svenire dall'emozione. Immediatamente s'impadronirono di Guidoberto e non volevano mollarlo piú. Lo seguirono anche nel Museo Etrusco-Romano, si lasciarono spiegare il «cippo» e si convinsero ben presto, con entusiasmo, che la lingua etrusca era il piú bel mistero dell'universo.

Ma di questi episodi potrei raccontarne a centinaia. Oggi come oggi il professor Guidoberto parla e scrive correntemente in duecentoquattordici lingue e dialetti della Terra, imparati, si sa, soltanto nei momenti di ozio. La sua barba è diventata grigia, e sotto il suo cappello non è rimasta che una ciocca striminzita. Ogni mattina egli corre al Museo e si immerge nel suo studio prediletto. Per lui il «cippo» è il cuore di Perugia, anzi, dell'Umbria, anzi, dell'universo.

Quando qualcuno ammira la sua cultura linguistica e si profonde in lodi al suo cospetto, Guidoberto fa un cenno seccato con la mano e risponde: – Non dica sciocchezze; sono ignorante quanto lei. Lo sa che in trent'anni non sono riuscito a imparare l'etrusco?

Quello che non si sa ancora è sempre piú importante di quello che si sa.

I sette fratelli

C'erano sette fratelli
che andavano per il mondo:
sei erano sempre allegri,
il settimo sempre giocondo.

Sei andavano a piedi
perché non avevano fretta,
il settimo invece perché
non aveva la bicicletta.

Arrivarono a un castello
che aveva sette finestre:
sei erano spalancate,
ma la settima era aperta.

Sette belle principesse
insieme si affacciavano:
sei piangevano, piangevano,
ma la settima singhiozzava.

– Perché piangete, sei principesse
e voi settima perché singhiozzate?
– Ah, se sapeste, quei giovani...
quanto siamo sfortunate:

di sette fidanzati
che ci misero l'anello al dito,
sei sono scappati,
il settimo invece è fuggito.

– Sposateci noi altri,
sarà la vostra fortuna,
perché noi siamo in sette
e voi, invece, sei più una.

Pigmalione

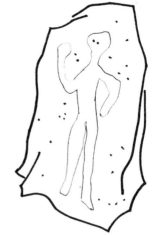

Viveva a Cipro, ai tempi delle favole antiche, un giovane scultore di nome Pigmalione. Egli amava la sua arte sopra ogni altra cosa al mondo.

Quando i cavatori gli portavano un nuovo blocco di marmo, si metteva a studiarlo, gli girava intorno accarezzandolo e si domandava:

– Quale strana creatura vive prigioniera dentro questo blocco? È un uomo o un dio, una donna o una fiera?

Una volta immaginò una fanciulla. Doveva essere la piú bella fanciulla che mai si fosse vista a Cipro, anzi in tutto il Mediterraneo.

Cominciò a lavorare con tanto entusiasmo che parlava ad alta voce e diceva: – Lo so, lo so che tu dormi lí dentro da mille e mille anni, da quando il mondo è cominciato. Ma ora io ti vengo a liberare. Abbi ancora un poco di pazienza e vedrai la luce.

Lavorò per giorni e giorni senza riposo, mangiando appena qualche boccone in fretta, e non voleva vedere nessuno.

Pigmalione tratteneva il fiato, vedendo nascere dal marmo, un colpo dopo l'altro, la bellissima giovinetta. Esitava, aveva quasi paura di farle male con lo scalpello mentre le sottolineava il naso, la bocca, le piccole orecchie seminascoste dai capelli ricciuti.

Lisciò ad una ad una con cura le pieghe della sua tunica. Le dita delle mani non gli sembravano mai abbastanza affusolate. Le fece degli eleganti calzari.

Quando ebbe finito di scolpirle gli occhi, parlò alla fanciulla come se essa avesse potuto capire le sue parole: – Ti terrò sempre con me, – disse, – non ci separeremo mai. Sei bella come pensavo, non nascerà mai una donna piú bella di te.

Nell'intento di farle piacere, Pigmalione tinse le labbra della statua col rossetto, le disegnò lunghe ciglia nere, le colorò le unghie delle mani e dei piedi, le spazzolò a lungo i capelli.

Al calar della notte, con mille precauzioni, la fece scendere dal suo piedistallo, la coricò nel suo proprio letto e le rimboccò le coperte sotto il mento.

– Dormi, – le diceva, sdraiandosi a sua volta sul pavimento, – io veglierò su di te, perché nessuno disturbi il tuo sonno.

Ogni giorno le cambiava l'abito, prendendo dal guardaroba di sua madre un mantello rosso, una tunica ricamata, una cintura ornata di pietre preziose, dei veli di seta. Vestiva e rivestiva la statua come le bambine fanno con le loro bambole.

Le portava dei giocattoli, le offriva la frutta piú fresca, i dolci piú squisiti. Posava tutta quella roba ai piedi della statua e non dava alcuna importanza al fatto che essa non toccava nulla e non guardava nulla.

E intanto, per ore e ore, le parlava vezzeggiandola, le raccontava lunghe favole, le riferiva le notizie della casa e della città che riuscivano, in qualche modo, a giungere fino a lui.

Infatti Pigmalione non usciva quasi mai, non voleva vedere nessuno, e mandava via con parole sgarbate i pochi amici che andavano a visitarlo pensando che stesse male.

Non scolpiva nemmeno piú.

I suoi genitori, stando fuori della sua stanza, gli parlavano accorati: – Figliolo, torna in te. Non puoi amare un pezzo di pietra. Non puoi trascurare la vita per un giocattolo.

– Lasciatemi in pace, – egli rispondeva, – ho tutto ciò che voglio e non desidero altro.

E tornava a parlare con la sua statua, immaginando anche le risposte e rallegrandosi di esse.

– Ah, come sei gentile, come sei spiritosa!

Proprio cosí fanno le bambine con le loro bambole. Ma poi le bambine crescono e mettono le bambole da un canto. Pigmalione, invece, che era un giovanotto alto e robusto, ed anche un bel giovanotto, si comportava come un bambino che non volesse crescere.

A lungo andare, però, egli divenne nervoso e inquieto. Anche mentre fingeva che la statua gli parlava e gli diceva cose gentili, la parte sana del suo cervello si accorgeva benissimo che la statua rimaneva muta e fredda, e diceva a Pigmalione: – Sciocco insensato, non vedi che è morta?

Pigmalione si irritava e si sforzava di mettere a tacere quella voce, ma essa parlava sempre piú forte, e lo induceva alla disperazione. La sua gioia si spegneva come un fuoco di paglia, e il suo cuore era infelice.

La leggenda dice che egli un giorno si recò a pregare Venere nel suo santuario, e che la dea dell'amore ascoltò la sua preghiera. Secondo questa leggenda, Pigmalione tornando a casa trovò che la statua si era mutata in una fanciulla di carne e d'ossa, innamorata di lui come egli era innamorato di lei; egli la chiamò Galatea e la sposò.

Le cose, però, non sono andate cosí.

È vero che egli andò al tempio di Venere in pellegrinaggio. La leggenda non dice però che, mentre tornava a casa, incontrò una fanciulla che era stata, molti anni prima, sua compagna di giochi. Da un pezzo egli non la vedeva, e se la ricordava ancora bambina: ma ora era cresciuta ed era diventata una donna assai bella.

Essa gli rivolse la parola e gli disse soltanto: – Ciao, Pigmalione.

Ma mentre glielo diceva lo guardò con i suoi occhi neri e ridenti. E dopo aver guardato dentro quegli occhi vivi Pigmalione cessò improvvisamente di desiderare che gli occhi di marmo della sua statua rispondessero. Si innamorò della fanciulla vera e la sposò, e fece delle bellissime statue che però non rappresentavano piú i suoi sogni ma sua moglie, i suoi figli, gli amici e la vita che lo aveva riassorbito nel suo fiume dalle onde robuste e serene.

Il filo di Admeto

Gli dei delle antiche favole erano piuttosto dispettosi. Giove, una volta, fece una grave offesa ad Apollo. E Apollo si vendicò uccidendo alcuni Ciclopi, le mostruose creature con un solo occhio in fronte che Giove teneva molto care, perché gli fabbricavano i fulmini. Giove, che degli dei era il re, puní Apollo obbligandolo a servire per sette anni, in terra, come schiavo di Admeto, re di Tessaglia.

Apollo fece la sua penitenza senza discutere. Anzi, in quel periodo si comportò tanto bene che divenne amico del suo padrone terreno.

Tornato in cielo, Apollo venne a sapere che le Parche (divinità dell'antica Grecia che presiedevano al destino dell'uomo dalla nascita alla morte) avevano finito di filare il filo di Admeto e stavano per troncarlo. Entro pochi giorni Admeto doveva morire. Apollo ne ebbe vivo dispiacere per il suo amico. Pregò le Parche di risparmiarlo ed esse gli risposero:

– Se tu vuoi, Admeto vivrà. Ma la morte deve ricevere il suo tributo. Admeto vivrà se qualcuno sarà pronto a morire al suo posto.

Apollo si affrettò a scendere in terra per portare all'amico le due notizie: l'annuncio di morte e quello della salvezza.

– Troverai qualcuno, – gli domandò Apollo, – disposto a prendere il tuo posto al funerale?

– Lo spero bene, – disse Admeto. – La mia vita è troppo importante per lo Stato. Sono o non sono il re?

Mandò a chiamare il suo servo piú fidato, gli disse come stavano le cose e gli ordinò di prepararsi.

– A far che, Maestà?

– E me lo domandi? A morire, si capisce.

Il servo, per prudenza, disse che ci voleva pensare e che avrebbe dato la risposta la mattina dopo. Ma quella notte stessa abbandonò la reggia e di lui non si sentí mai piú parlare.

Admeto, impressionato per quella fuga, decise di rivolgersi ai suoi genitori.

«Soltanto le persone che ti amano veramente, – pensava, – sono disposte a fare dei sacrifici per te».

I suoi genitori erano vecchi e forse restava loro poco tempo da vivere ma a quel poco ci tenevano.

– Perché dovremmo morire al tuo posto? – essi protestarono. – Noi siamo quelli che ti abbiamo dato la tua vita, e ora vuoi anche la nostra. Bella gratitudine.

– Non vedete che avete già un piede nella fossa?

– Noi non ti chiediamo di morire per noi, – risposero i due vecchi, ostinati, e gli chiusero la porta in faccia.

Admeto se ne andò che pareva una furia. Chiamò i suoi ministri, i generali, i sacerdoti, fece presente che la sua vita era preziosa per il bene della nazione. Ed essi riconobbero che non era solo preziosa, ma preziosissima. Quando Admeto chiese che uno di loro si offrisse alla morte al posto suo, si tirarono tutti indietro con cento scuse. Anche loro avevano molto da fare, avevano la famiglia da mantenere e cosí via.

– Avete dunque tanta paura di morire? – gridò Admeto pestando i piedi.

– Quando toccherà a noi moriremo. Adesso non tocca a noi.

Admeto, disperato, chiamò la moglie e disse che doveva salutarla per l'ultima volta, e le raccontò tutta la storia.

Alcesti, ascoltandolo, impallidiva. Poi, prendendogli una mano, disse soltanto:

– Morrò io al tuo posto.

– Ma non è possibile! Non pensi al mio dolore? Non pensi come piangerei ai tuoi funerali?

– Vivrai ricordandomi, ed io sarò viva nel tuo ricordo.

Admeto si lasciò convincere. In fondo, vero, un re è piú importante di una semplice regina.

Alcesti morí. La reggia risuonò di pianti e di strida e Admeto piangeva piú forte di tutti. Quand'ecco un servo venne ad annunciargli un ospite. Si trattava di Ercole, in viaggio per una delle sue imprese. Il buon gigante era molto amico di Admeto, e aveva pensato di passare la notte in casa sua.

– Vedo che siete in lutto, – disse Ercole salutando il re.

– Sí, è morta una donna, – rispose in fretta Admeto, – ma non c'è motivo che tu ti rattristi. L'ospite è sacro.

Gli fece dare una camera isolata e gli fece portare ogni sorta di cibi e di bevande. Ercole mangiò e bevve allegramente, e quando fu un po' alticcio cominciò a cantare.

– Signore, – gli disse un servo, addolorato, – non dovresti cantare quando il nostro padrone è in lutto.

Cosí Ercole venne a sapere che Alcesti era morta, e si stupí molto che Admeto non glielo avesse detto.

Ma Ercole era buono. Afferrò la sua clava, corse alla tomba dove la morte aspettava che le portassero Alcesti, lottò con lei e la sconfisse.

Alcesti tornò in vita.

Ercole si aspettava di vedere Admeto rallegrarsi e gioire di quel ritorno, e rimase molto male, invece, quando lesse nel volto del re soltanto la paura. Admeto temeva che adesso la morte non lo avrebbe perdonato. Anche Alcesti aveva una strana espressione triste e guardava il marito con l'aria di chiedergli scusa.

«Strana gente, – pensò Ercole, grattandosi in testa, – pare che il funerale cominci adesso. Oh, bene, non sono affari che mi riguardino!»

Salutò in fretta i suoi amici e ripartí.

Il Paese Senza Errori

C'era una volta un uomo che andava per terra e per mare
in cerca del Paese Senza Errori.
Cammina e cammina, non faceva che camminare,
paesi ne vedeva di tutti i colori,
di lunghi, di larghi, di freddi, di caldi,
di cosí cosí:
e se trovava un errore là ne trovava due qui.
Scoperto l'errore, ripigliava il fagotto
e ripartiva in quattro e quattro otto.

C'erano paesi senza acqua,
paesi senza vino,
paesi senza paesi, perfino,
ma il Paese Senza Errori dove stava, dove stava?
Voi direte: Era un brav'uomo. Uno che cercava
una bella cosa. Scusate, però,
non era meglio se si fermava
in un posto qualunque,
e di tutti quegli errori
ne correggeva un po'?

Indice

La biblioteca di Gianni Rodari

Gli affari del signor Gatto
I viaggi di Giovannino Perdigiorno
Storie di Marco e Mirko
La gondola fantasma
Fra i banchi
Zoo di storie e versi
Il secondo libro delle filastrocche
Grammatica della fantasia (40 anni)
Gip nel televisore e altre storie in orbita
La Voce della Fantasia
La torta in cielo

Finito di stampare per conto delle Edizioni EL
presso LEGO S.p.A. - Stabilimento di Lavis (Tn)

Ristampa   Anno

8   9   10   11   2019   2020   2021